François Mancebo

DÉVELOPPEMENT DURABLE

2e édition, mise à jour

ARMAND COLIN

Maquette intérieure : Atelier Didier Thimonier

© Armand Colin, Paris, 2008, 2013

ISBN 978-2-200-28596-8

ARMAND COLIN ÉDITEUR • 21, RUE DU MONTPARNASSE • 75006 PARIS

Sommaire

Introduction
à la deuxième édition

Très récente – elle n'a été formulée explicitement qu'en 1987 –, l'idée d'un développement durable est vite devenue une « chienne d'idée » comme dans le refrain d'une chanson bien connue de la même époque. Tout le monde s'est précipité dessus dans une orgie de textes, d'émissions et de commentaires. Chacun pour soi, dans l'urgence. Le résultat ? Une cacophonie, une incompréhension mutuelle, des monologues obstinés. Le développement durable est-il condamné à rester une sorte de fourre-tout investissant les discours politiques, administratifs ou entrepreneuriaux ? Je ne le pense pas.

Dans le bestiaire de la durabilité, une expression est particulièrement étrange : « le concept de développement durable ». Quel concept ? Où voyez-vous un concept dans le développement durable ? Qui dit « concept » dit théorisation et toute théorisation suppose la construction formalisée de notions, partagées par l'ensemble de la communauté travaillant sur le sujet ; notions qui sont ensuite articulées entre elles pour former le socle théorique. Nous en sommes loin. À l'heure actuelle, le développement durable tient plus de la narration que du concept. Livres et articles racontent des histoires. L'auteur dit : « Voilà ce qu'est le développement durable pour moi, à partir de mon expérience. » Ces histoires sont parfois passionnantes, mais elles restent des histoires.

Si nous voulons que le développement durable devienne vraiment un concept – ce qui est la condition de sa compréhension et de son opérationnalité – il convient de commencer par en construire les briques, c'est-à-dire les notions-clés. Ces pierres qui sont les conditions de sa cohérence. Tel est l'objectif de cet ouvrage.

Introduction :
des relations tumultueuses
entre l'homme
et son environnement

Le développement durable s'appuie sur le postulat que progrès technique et économique ne sont pas antagonistes d'une bonne qualité environnementale. Ce faisant, il recadre une préoccupation fort ancienne. Les bocages, régulateurs des pluies, coupe-vent, stabilisateurs de terres et réservoirs de biodiversité nous en offrent un exemple. *A contrario*, les relations entre l'homme et son environnement n'ont pas attendu le siècle passé pour être tumultueuses.

Il serait fallacieux de considérer que la dégradation de l'environnement est un phénomène récent dû à des sociétés contemporaines dévoreuses d'espaces et oublieuses de pratiques traditionnelles. Le cas de l'île de Pâques le montre amplement. Les Polynésiens, premiers habitants de l'île, s'y implantèrent aux alentours du Ve siècle de l'ère actuelle. Ils découvrirent un monde doté d'une faune et d'une flore peu diversifiées, mais abondante. L'espèce dominante était un palmier, aujourd'hui disparu, mais autrefois si présent que les strates sédimentaires les plus basses sont envahies par son pollen. Les sources d'alimentation étaient donc peu variées, mais d'un accès facile. La population de l'île a augmenté constamment jusqu'à atteindre 7 000 habitants à son maximum démographique, vers 1550. La société se disloque alors brutalement sous l'effet d'une dégradation irréversible de l'environnement de l'île. Les analyses de pollen montrent la destruction progressive des forêts. Le XVe siècle voit disparaître définitivement les palmiers [Fenley J. R., King A. S. M., Jackson J., Chew C., Teller J. T.,

Prentice M. E., 1991, « The late quaternary vegetation and climatic history of Easter Island », *Journal of Quaternary Science*, n° 6(2), p. 85-115, Exeter, John Wisley and Sons]. Parallèlement, on distingue de nombreux dépôts et traces de charbon de bois dans les structures sédimentaires.

La disparition de la forêt, due au chauffage et à la mise en culture des sols, mais aussi à la construction de canoës de prestige et aux longues grumes nécessaires pour ériger les statues de l'île de Pâques, eut des effets terribles sur la vie quotidienne des Pascuans. Le manque d'arbres obligea à abandonner la construction de maisons traditionnelles en bois pour des abris de fortune. Les canoës ne purent plus être construits, ni les statues transportées. De plus, comme les sols à découvert facilitent l'érosion, le ravinement et le drainage des substances nutritives, les rendements des récoltes baissèrent fortement. Des famines firent leur apparition. L'île ne pouvait plus nourrir 7 000 personnes. Parallèlement à cette régression vers des conditions de vie plutôt primitives, les conflits pour les ressources encore disponibles aboutirent à un état de guerre presque permanent. L'esclavage et le cannibalisme firent leur apparition.

Les insulaires, navigateurs conscients de leur isolement par rapport au reste du monde, se sont certainement rendu compte assez tôt que leur survie dépendait des ressources limitées d'une petite île. Mais leur mode de vie traditionnel s'est avéré incapable de s'adapter à cet environnement. Pire, il a contribué à en accélérer la dégradation. Force est de constater que les discours idéologiques exaltant une « toute-bonne nature » et le retour à un âge d'or n'ont guère de sens.

Le développement durable ne fait que recadrer une préoccupation fort ancienne. Ce qui change, aujourd'hui, c'est la possibilité pour l'Homme de comprendre la gravité de la situation et d'en démonter les mécanismes combinée à une capacité technique sans précédent. Volonté sincère, alibi ou simple effet d'annonce, il n'en reste pas moins que cette approche permet d'espérer pour l'humanité un avenir plus réjouissant que celui des habitants de l'île de Pâques. Mais suffit-il de formuler les choses pour que les problèmes disparaissent d'eux-mêmes ? Certes non. Entre l'intention et les actes, le chemin est semé d'embûches.

Deux injonctions contradictoires sont formulées par le développement durable : l'équité intergénérationnelle préservant les ressources pour les générations à venir, et l'équité spatiale entre pays pauvres et riches. La Chine montre les limites de la conciliation entre ces deux impératifs. Pour satisfaire à l'équité spatiale, il importe que les Chinois s'enrichissent, et pour ce faire plus d'un milliard de personnes sont appelées à produire au prix d'une demande colossale en ressources minérales et combustibles fossiles, et à consommer au prix de rejets massifs de toxiques et polluants. Une telle situation rend irréalisable l'impératif d'équité intergénérationnelle pour l'ensemble de la planète, en léguant aux générations futures un environnement très dégradé.

Par conséquent, les égoïsmes et les stratégies particulières interviennent vite pour instrumentaliser débats et actions, pour accoucher d'objectifs souvent dérisoires au regard de l'ampleur des problèmes à résoudre. Quitte à les encadrer de pléthore d'outils normatifs, avec une ardeur qui relève plus de l'effort pour se donner bonne conscience que d'une réelle intention d'en découdre.

On pourrait en conclure que le développement durable présente peu d'intérêt. On aurait tort. En devenant un cadre récurrent de l'action politique, le développement durable permet d'estomper la frontière érigée entre environnement et aménagement, lorsque les premières politiques environnementales ont tenté de répondre aux excès planificateurs de l'après-guerre. Certains pensaient alors qu'environnement et aménagement répondaient à des impératifs radicalement opposés. Au mieux, ils considéraient les questions environnementales comme une sorte de correctif, un « supplément d'âme ». Le développement durable montre qu'il n'en est rien : ces deux champs se fécondent mutuellement. En cela, il a des effets directs très positifs.

Un développement durable sous bénéfice d'inventaire

Dressons, dans un premier temps, une brève histoire du développement durable. D'emblée, il ne fait que recadrer une préoccupation plus ancienne. Les présupposés du développement durable étaient déjà présents dans la déclaration et le plan d'action du Sommet de la Terre de Stockholm de 1972 (www.agora21.org/stockholm/stockholm-decl.txt). Dès juin 1971, le rapport de Founex voyait dans le développement et l'environnement « les deux faces d'une même médaille » (www.southcentre.org/index.php?option=com_content&view=article&id=395%3Athe-south-and-sustainable-development-conundrum-from-stockholm-1972-to-rio-1992-to-johannesburg-2002-and-beyond&catid=69%3Aenvironment-a-sustainable-development&Itemid=67&lang=fr).

I. Une déjà longue histoire

Dans l'Histoire européenne récente, les lendemains de la Seconde Guerre mondiale marqués par les destructions de villes entières et l'afflux des populations vers les grands centres industriels avaient créé une crise du logement. La réponse qui y fut donnée par les États prit la forme d'une planification autoritaire et d'un urbanisme de zonage. Il aboutit à la construction massive de grands ensembles. Ces nouveaux espaces étaient salubres, clairs et confortables. Mais ils étaient aussi pauvres en espaces collectifs et coupés du tissu urbain traditionnel. Il s'y développa un sentiment croissant de déshumanisation, cristallisant dans les années soixante avec les premières demandes relatives au cadre de vie [Donzelot J., 1999, « La nouvelle question urbaine », *Revue Esprit*]. Elles débouchèrent sur les premiers mouvements environnementalistes.

On peut ainsi considérer que les citadins des pays du Nord ont initié le débat qui aboutit, une vingtaine d'années plus tard, à la formulation du développement durable.

1.1 Émergence des préoccupations environnementales dans le monde

En 1972, la communauté internationale se réunit à Stockholm, dans le cadre d'une conférence des Nations unies. Une déclaration de principes et un plan d'action qui prévoient l'établissement d'un Programme des Nations unies pour l'environnement (PNUE) y voient le jour, adossé au Programme des Nations unies pour le développement (PNUD). Les questions des ressources disponibles et de leur renouvellement, ainsi que le souci de justice sociale et d'efficacité économique, préfigurent le développement durable. Cette approche porte le nom d'écodéveloppement [Sachs I., 1993, *L'écodéveloppement. Stratégies de transition pour le XXIᵉ siècle*, Paris, Syros]. Assez rapidement, le milieu urbain dont sont issus les mouvements de contestation focalise l'attention. Les préoccupations des villes du Nord s'imposent : lutte contre les pollutions, reconstruction du tissu social. Ces préoccupations sont assez différentes de celles du Sud, où domine l'urgence en équipements de base, essentiellement sanitaires.

C'est pourquoi, dans la continuité de Stockhom, se tient en 1976 à Vancouver la première Conférence des Nations unies sur les établissements humains, aussi nommée Habitat 1. La charte qui en résulte s'inquiète de la protection de l'environnement en milieu urbain. Elle alerte également du risque de ségrégation sociale et de pauvreté accrue. Ce faisant, Habitat 1 expose, avant l'heure, des questions qui formeront la trame du développement durable. Toutefois, elle ne prévoit pas de participation de la société civile : seuls les États sont appelés à agir. C'est à cette occasion qu'est formulée la doctrine du principe canadien selon laquelle (www.cidce.org/pdf/mondialisation.pdf) : « Conformément à la Charte des Nations unies et aux principes du droit international, les États ont le droit souverain d'exploiter leurs propres ressources selon leur politique d'environnement et ils ont le devoir de s'assurer que les activités exercées dans les limites de leur juridiction ou sous leur contrôle ne causent pas de dommage à l'environnement dans d'autres États ou dans des régions ne relevant d'aucune juridiction nationale. » Les États restent donc seuls décideurs. Les enjeux du développement durable sont bien identifiés, mais pour y répondre seuls les modes d'intervention traditionnels de l'action publique sont prévus. Ils s'avèrent tout à fait inadaptés. Des blocages interviennent rapidement.

Conscientes des difficultés à mettre en œuvre les résolutions du PNUD et d'Habitat 1, les Nations unies créent en 1983 une Commission mondiale de l'environnement et du développement (CMED) chargée d'identifier les principaux problèmes de développement, d'environnement et proposer des solutions à long terme. C'est, en 1987, le rapport de cette commission intitulé *Our Common Future* qui fonde le développement durable. Il édicte que la croissance doit être subordonnée à trois principes : le principe de précaution selon lequel il vaut mieux s'abstenir d'agir lorsque les conséquences d'une action sont difficiles à prévoir ; le principe de participation des populations aux décisions qui les affectent ; la solidarité entre générations et entre espaces [Brundtland G. H., 1989, *Notre Avenir à Tous*, rapport de la Commission mondiale sur l'environnement et le développement, Paris, Les Éditions du Fleuve, traduction française de *Our Common Future*, 1987]. L'interdépendance entre les sphères économiques, sociales et environnementales est également affirmée. Mais ce rapport, rédigé à plusieurs mains, est un document de consensus. Il nourrit des interprétations divergentes :

– Pour les uns, le développement économique ne peut durer que s'il ne porte aucun préjudice à l'environnement. Selon cette lecture « écocentrée » du développement durable, l'adjectif durable doit être compris dans le sens de « capable de durer » et non « qui doit durer à tout prix » [Brooks D., 1990, « Au-delà des slogans, que signifie exactement développement durable ? », *Le CRDI Explore*, Ottawa, CRDI]. Les tenants de cette approche font appel à un rapport conjoint de l'Union mondiale pour la nature, de la CMED et World Wildlife Fund (WWF), antérieur au rapport Brundtland, qui définit une World Conservation Strategy fondée sur une approche purement conservative des ressources.

– Pour les autres, à l'inverse, il n'est possible d'intervenir efficacement dans le champ environnemental que lorsque la sphère économique se porte bien. Dans cette perspective la perte de ressources peut être compensée par les apports matériels et par le capital technique et financier accumulé, légué aux générations futures. Cette lecture sert de base à l'approche « néoclassique » du développement durable [Maréchal J.-P., 1996, *Le développement durable dans la pensée néoclassique*, Genève, Stratégies énergétiques Biosphère et Société].

Pour tenter de trouver une position commune, la CMED provoque une nouvelle conférence mondiale. Le Sommet de la Terre de Rio, en 1992. Il deviendra historique en popularisant le développement durable et en créant les outils de son opérationnalité. La déclaration finale énumère les principes d'application, au nombre de 27. Elle met aussi en place trois conventions : sur la biodiversité, sur le changement climatique et contre la désertification. Elle élabore, surtout, un programme d'action pour le XXIe siècle, nommé Agenda 21. Point important, ce sommet est marqué par l'introduction de la société civile, des collectivités locales et des organisations non gouvernementales (ONG) dans le débat.

Le Sommet de la Terre de Rio a malheureusement aussi créé les conditions d'une banalisation du développement durable. Certains États désiraient bénéficier d'une bonne image, en tant que participants au Sommet, tout en n'étant pas soumis à des engagements trop précis qu'ils pouvaient bloquer au nom du principe canadien. Dès lors, les orientations vagues et ne contenant aucun engagement quantifiable pouvaient donner lieu à des interprétations multiples.

1.2 Le tournant de Rio

Originellement, le développement durable s'attachait aux catastrophes environnementales lentes. Les pays industrialisés étaient appelés à freiner leur consommation énergétique et à favoriser des filières plus économes en combustibles, afin de préserver les réserves mondiales. Des actions étaient engagées localement à travers la conception de l'habitat, les priorités en matière de transports ou le choix de la localisation des entreprises industrielles. L'usage d'engrais et de pesticides, l'évacuation des eaux usées des villes, était aussi au cœur des préoccupations. Mais, assez rapidement, il a fallu constater que les politiques menées, fondées sur l'établissement de normes d'émission pour les produits nocifs ou de seuils de prélèvement des ressources, étaient assez inefficaces. Il a donc été nécessaire de passer d'une prise en compte de l'environnement au sens strict – physico-chimique, biologique, écosystémique – aux relations de l'homme à son milieu de vie. La notion de ressource environnementale a été étendue aux ressources culturelles, aux relations sociales, aux équipements. Lors de la déclaration finale qui identifie des prérequis à toute politique de développement durable, le champ défini est donc considérablement élargi. Ces prérequis peuvent être regroupés en cinq grandes injonctions :

– ne pas externaliser les effets environnementaux de nos actions ;

– ne pas limiter les critères d'efficacité économique à la seule rentabilité à court terme ;

– ne pas imposer des modèles dogmatiques afin que les politiques proposées soient culturellement acceptables ;

– veiller à l'équité des solutions proposées puisque, pour que le développement soit pérenne, il convient que chacun y trouve son compte d'une manière ou d'une autre ;

– prendre en compte hétérogénéité spatiale et territoriale, car les mêmes activités ont des impacts environnementaux, économiques et sociaux différents selon leur localisation.

En 1996, la deuxième CNUEH – dite Habitat 2 – a lieu à Istanbul. Son déroulement illustre bien l'instrumentalisation dans l'approche urbaine du développement durable. Après Vancouver, la conférence d'Istanbul devait proposer des dispositifs d'action concrets. La participation des acteurs locaux, des collectivités territoriales et d'associations y était une nouveauté. Son objectif était d'étudier comment rendre les villes du monde plus salubres, plus sûres, plus équitables et plus durables. Une conception tellement large faisait dire aux sceptiques que le défi que voulaient relever les participants les dépassait largement. Ils parlaient de conférence « attrape-tout ». Et les débats sont, en effet, vite devenus houleux, chacun donnant son interprétation personnelle et intéressée d'objectifs peu lisibles. Les uns, surtout des ONG, contestaient le rôle trop central du CNUEH dans les politiques urbaines. Avançant que l'initiative privée devrait être l'intervenant le plus actif, elles militaient pour que la communauté internationale ne prenne en charge que l'organisation des débats, la diffusion des informations et la mobilisation des projets [Elong-Mbass J.-P., 1996, « Enjeux et attentes », *Vivre autrement*, n° 4]. Les autres, telle l'Assemblée mondiale des villes et des autorités locales (AMVAL) qui regroupe plusieurs associations internationales de villes comme Métropolis, Eurocités ou l'Union des villes d'Afrique, demandaient une redéfinition des missions. Selon eux, le cadre institutionnel devrait rester le CNUEH, mais secondé par une agence internationale des villes chargée de coordonner les actions en milieu urbain [Le Saux A., 1996, « Les villes en avant-première », *Vivre autrement*, n° 4].

Mais les oppositions les plus évidentes séparaient pays riches aux pays pauvres. Au Nord, la ségrégation spatiale et la pollution, héritées du passé industriel ou engendrées par les transports, posaient les principaux problèmes. L'augmentation du nombre de jours d'alerte à la pollution, qu'il s'agisse d'ozone troposphérique ou d'oxydes d'azote, dans les grandes métropoles, illustre bien le problème. Les pays du Sud, quant à eux, étaient plutôt confrontés à une croissance démographique colossale générant des problèmes d'entassement, de réseaux d'adduction et d'assainissement des eaux sous-dimensionnés ou inexistants.

Les deux perspectives se sont affrontées lors de cette conférence. Une partie de la population urbaine mondiale, suréquipée, cherchait à promouvoir des solutions de développement durable, d'économie et de protection des ressources en direction d'autres populations qui, elles, réclamaient surtout des mesures d'urgence en matière de logement et de salubrité publique. Enfin, les pays pauvres n'avaient pas l'intention de se priver d'un modèle de développement dont nous avons usé et abusé pendant trente ans sous le prétexte qu'il n'est plus « durable ».

Tout cela s'est terminé dans la plus grande confusion. Ce qui se reflète dans la forme de l'accord final appelé fort pompeusement Plan d'action mondial pour les établissements humains jusqu'en 2020 qui affirme la « nécessité de respecter des modes durables de production, de consommation, de transport et de développement des établissements humains ; nécessité de prévenir la pollution ; nécessité de respecter la capacité limite des écosystèmes et à préserver les chances des générations futures » [Nations unies, 2001, « La session extraordinaire de l'Assemblée générale des Nations unies consacrée à l'examen et l'évaluation d'ensembles de l'application du programme pour l'habitat », *Le Millénaire urbain*, n° 1]. C'est à la fois suffisant et insuffisant, surtout si l'on considère le reste de la déclaration qui libère d'avance les divers acteurs de tout engagement contraignant au nom de « responsabilités communes, mais différenciées » entre pays signataires.

Malgré tout, Habitat 2 présente nombre d'aspects positifs. D'abord, le débat a permis d'identifier les enjeux et les positions en présence. Ensuite, elle a enregistré l'émergence des collectivités locales en tant qu'actrices internationales. Quelques opérations pilotes, intitulées « bonnes pratiques », y ont aussi été amorcées. Ainsi, dans le but de favoriser l'accès des populations défavorisées aux services urbains au Brésil et en Argentine, quatre opérations ont été engagées avec l'assistance de la BIRD et de la PNUD à Manaus, Salvador, Parana et Riachuelo au sud de Buenos Aires (www.un.org/french/ga/istanbul5/declaration.htm). Il s'agit de développer des modèles de services urbains de base pour les zones marginales d'urbanisation en utilisant : adduction en eau, assainissement, collecte et traitement des déchets, desserte en électricité, transports. L'accent est mis sur la participation des habitants. Il est fait appel à des modes de financement variés tenant compte des capacités des populations, tel que le partenariat avec des ONG et des opérateurs privés. On peut citer le programme « Services urbains pour tous », engagé au Brésil dans les villes de Manaus, Salvador et Parana. Dans le même ordre d'idées, le programme de réhabilitation de l'habitat à Riachuelo dans le quartier de Villa Jardin à Lanus, est mené par la fondation El Riachuelo et la Province de Buenos Aires en liaison avec des associations de quartiers, des instituts de formation, des entreprises. Ce programme vise à la fois à sécuriser l'occupation des terres pour les habitants, à améliorer le service de distribution d'eau potable, à améliorer le confort des logements et des équipements, tout en contenant les pollutions urbaines. Il s'agit de développer des démarches volontaristes et cohérentes de réduction de ces flux polluants, en infléchissant les comportements individuels et collectifs.

1.3 Premiers enseignements et premières dérives

En 2001, a lieu à New York une réunion d'évaluation appelée *Istanbul Plus 5*. Les nations-membres étaient invitées à rédiger un rapport illustrant les activités réalisées depuis 1996 et ceux restant à déployer pour atteindre les objectifs d'Istanbul. Le bilan est désastreux. Les problèmes recensés en 1996 se sont amplifiés. Ils ont même débordé leurs aires traditionnelles :

– Le phénomène de paupérisation urbaine touche également les grandes villes des pays industrialisés. De plus, la dégradation générale des écosystèmes au Sud (sécheresses, déforestation, etc.) amplifie dramatiquement les migrations vers les villes des pays riches, hypothéquant les conditions de vie et la stabilité politique des agglomérations accueillant ces populations. Ces deux facteurs se conjuguent pour généraliser aux pays riches une configuration de crise urbaine jadis limitée aux pays pauvres.

– À l'inverse, la modernisation orchestrée par les instances nationales et la Banque mondiale dans les pays en voie de développement suppose l'intégration de l'économie de marché. Les partenariats avec des sociétés privées sont donc quasi obligatoires, notamment dans le domaine du traitement de l'eau, problème crucial pour ces pays. Or, les revenus de la plupart des habitants ne leur permettent pas d'avoir accès à ces services privés. En conséquence, les infrastructures de base (adduction d'eau, égouts, centres de soins) sont sous-utilisées alors que les besoins s'accroissent. Parallèlement, une frange croissante de la population urbaine s'enrichit et aspire à des standards de vie occidentaux, alors que la majorité des autres citadins voient leur précarité s'accroître avec la généralisation de l'habitat pauvre et irrégulier. Un processus de ségrégation spatiale très marqué s'installe, alors même que pollutions et nuisances s'accumulent. Les villes des pays pauvres voient donc s'étendre, en leur sein, des fléaux jadis circonscrits aux villes des pays riches [Satterthwaite D., 1999, *The Earthscan Reader in Sustainable Cities*, Londres, Stylus Publishing, LLC].

Un an plus tard, le troisième Sommet de la Terre de 2002 à Johannesburg illustre jusqu'à la caricature la perte de sens subie par le développement durable en vingt d'initiatives plus ou moins heureuses. Il s'agissait d'y confirmer les grands axes et les principes fixés à Rio, d'en préciser les modalités, d'actualiser les procédures servant de base de discussion pour les thèmes environnementaux traditionnels (forêts, océans, climat, énergie, eau potable, etc.). La diffusion des technologies de l'information et de la communication y a été particulièrement à l'honneur à travers la question du fossé numérique (*digital divide*), alors que l'environnement stricto sensu tend à occuper l'arrière-plan. La question de la gestion des ressources non renouvelables n'y apparaît paradoxalement plus que comme un horizon ultime et lointain. En réalité, nombre de pays en développement ayant du mal à gérer durablement leurs ressources, que ce laxisme soit volontaire (clientélisme et recherche de l'intérêt particulier de potentats locaux, orientation productiviste de l'économie, etc.) ou involontaire (manque de ressources, populations peu sensibilisées à ces questions, manque de compétences locales, etc.), a introduit en force la thématique des inégalités pour atteindre un triple objectif : masquer par cet écran de fumée les manquements aux engagements pris à Rio, légitimer à l'avenir un primat des contraintes économiques sur les choix relevant du développement durable, solliciter au nom de l'équité des aides substantielles des pays du Nord.

L'instrumentalisation du développement durable à Johannesburg a fait accoucher ce Sommet de la Terre d'un plan imprécis et d'un programme *a minima*. À l'inverse du sommet particulièrement riche de Rio, les 189 pays présents ne se sont mis d'accord que sur des actions très vagues. Ce fut un sommet marqué par des logiques de radicalisation des positions des uns et des autres. Seuls cinq domaines, pour lesquels la situation est particulièrement préoccupante ont été sérieusement abordés : l'eau et l'assainissement, l'énergie, l'agriculture, la préservation de la biodiversité et la santé.

2. L'Agenda 21, bras armé du développement durable ?

Depuis Rio, le développement durable a subi une lente dérive à mesure qu'il imprégnait l'action publique. Un des points forts du Sommet de Rio consacrait la mise en œuvre d'un programme d'action pour le XXIe siècle, nommé Agenda 21 ou Action 21. Le chapitre XXVIII de la déclaration de Rio incite les autorités locales à mettre en place un programme d'Agenda 21 à leur échelle à partir d'un « mécanisme de consultation de la population » : les agendas 21 locaux. Rapidement, ces instruments se sont répandus dans le monde entier. Bras armé du développement durable, l'Agenda 21 est constitué d'une déclaration de 27 principes déclinée en 2 500 recommandations. Il est fondé sur trois idées fortes :

– Court terme et long terme, préoccupations locales et préoccupations globales, doivent être articulés. Ainsi, une stratégie de long terme doit être incarnée dans des actions de court terme.

– La solidarité est essentielle lorsqu'il existe de fortes disparités entre espaces. Les politiques, les actions, les choix techniques doivent prendre en compte simultanément la modification des modes de développement du Nord et du Sud. Il en est de même à l'intérieur d'un État ou d'un bloc régional, entre régions « riches » et régions « pauvres ». Au sein d'une agglomération, des liens entre espaces attractifs et espaces de relégation doivent être construits.

– Il existe une responsabilité partagée entre acteurs, locaux, régionaux et mondiaux, quant à l'expression des besoins et la mesure de leur satisfaction. Il importe donc d'associer les populations aux projets qui les concernent. Cela exige l'implication de toutes les parties (dont les tiers absents tels que les générations futures).

2.1 Une approche trop institutionnelle

L'Union européenne a lancé en 1993 la Campagne européenne des villes durables pour soutenir les collectivités locales qui souhaitent s'engager dans un agenda 21 local, sous la houlette de l'International Council for Local Environmental Initiatives (ICLEI), organisme fondé à l'instigation des Nations unies. La coordination de cette campagne est assurée par quatre réseaux de villes : le Conseil des Communes et des Régions d'Europe (CCRE), Eurocités, le réseau des Villes-Santé de l'Organisation mondiale de la santé (OMS) et la Fédération mondiale des cités unies (FMCU). Elle organise en deux ans deux grandes conférences sur les villes durables européennes : l'une à Aalborg en 1994 et l'autre à Lisbonne en 1996. La première, destinée à promouvoir l'idée même de la ville durable, a débouché sur la Charte d'Aalborg qui permet aux villes signataires de marquer leur volonté à s'engager dans un agenda 21 local. La deuxième a abouti au Plan d'action de Lisbonne, qui tente une traduction opérationnelle de la Charte d'Aalborg. Une dernière grande conférence est organisée en 2000 à Hanovre. La conférence de Hanovre aborde le suivi et l'évaluation des agendas 21 locaux concernés par la Charte d'Aalborg, aujourd'hui signée par plus de 600 villes et agglomérations de l'Union européenne (www.iclei-europe.org).

Les villes, face à des procédures à la fois très contraignantes sur le plan des principes et très floues sur le plan de l'action, en donnent une interprétation très personnelle. Il en résulte des actions disparates au service d'une bonne image ou d'une captation accrue de subventions. Il s'agit le plus souvent pour ces villes de marquer, par des politiques urbaines originales, leur indépendance à

Tableau 1. Les grandes dates du développement durable

	Événements	Quelques points clés
1972	Stockholm, Sommet des Nations unies sur l'Homme et le Développement.	Premier sommet de ce type. Il accompagne l'apparition de la plupart des ministères de l'Environnement dans les pays développés, entre 1972 et 1980.
1976	Conférence internationale sur les Établissements humains à Vancouver (Habitat 1).	Sommet des Villes.
1987	Publication du rapport *Our Common Future*, dit « Rapport Brundtland ».	Apparition formelle du *sustainable development*.
1992	Rio, Sommet de la Terre des Nations unies sur l'Environnement et le Développement.	Adoption des 2 500 recommandations et des 27 principes fondant l'Agenda 21.
1994	Conférence internationale du Caire.	Sommet sur la population.
1995	Conférence internationale de Copenhague.	Sommet social.
1995	Conférence internationale de Pékin.	Sommet des femmes.
1996	Conférence internationale sur les Établissements humains à Istanbul (Habitat 2).	Sommet des villes.
1997	Sommet de Kyoto sur le réchauffement de la planète.	Protocole de Kyoto sur les changements climatiques.
1997	New York, Assemblée générale des Nations unies, bilan de la mise en œuvre de l'Agenda 21.	Constat mitigé. Les chefs d'États ne s'entendent pas sur une déclaration commune.
2000	Définition des OMD (Objectifs du Millénaire pour le développement) à New York.	8 objectifs sont identifiés recouvrant de grands enjeux pour l'horizon 2015 : la réduction de l'extrême pauvreté et de la mortalité infantile, la lutte contre plusieurs épidémies dont le Sida, l'accès à l'éducation, l'égalité des sexes, et l'application du développement durable.

2002	Johannesburg, Sommet de la Terre des Nations unies sur le Développement durable.	Les questions d'équité socio-spatiale et économique, et de lutte contre la pauvreté, prennent le pas sur les questions proprement environnementales. Peu de décisions concrètes : échec relatif.
2005	Entrée en vigueur du Protocole de Kyoto.	Les pays industrialisés, doivent réduire leurs émissions de gaz à effet de serre.
2009	Conférence mondiale sur le climat de Copenhague (15ᵉ COP).	Négociation sur la suite à donner au protocole de Kyoto : échec relatif.
2012	Conférence des Nations unies sur le développement durable (CNUDD) à Rio, dit Sommet de la Terre Rio+20.	Les thèmes développés étaient « l'économie verte » et « le cadre institutionnel du développement durable ». Pas d'accord sur ces thèmes, mais lancement d'un processus devant conduire à l'établissement d'Objectifs du développement durable (ODD) post OMD, après 2015.

l'égard de toute tutelle ou se positionner dans le réseau urbain mondial. Les instances régionales, nationales ou internationales ne s'y trompent d'ailleurs pas. Elles tentent, en retour, de garder le contrôle par trois actions : dissocier le développement durable des agendas 21 locaux relevant de la Charte d'Aalborg ; minimiser le rôle de cette dernière ; encadrer les projets qui en relèvent. Ainsi, lorsque la Commission européenne a souhaité jouer un rôle plus actif dans le développement urbain durable, elle a pris grand soin de garder le contrôle des politiques en minimisant le rôle de la Charte d'Aalborg : un forum urbain organisé à Vienne a accouché d'un Plan d'action pour un développement urbain durable aussitôt adopté par le Conseil et le Parlement européen. Dans ce plan, la Campagne européenne des villes durables est banalisée dans des problématiques plus générales, comme la gestion intégrée des déchets à l'échelle européenne ou la gestion des zones côtières. Lorsqu'en 2001 la Commission européenne lance son 6ᵉ programme communautaire décennal d'action pour l'environnement, Environnement 2010, notre avenir, notre choix, qui devient l'instrument de la stratégie européenne pour le développement durable, aucune référence n'est faite à la Charte d'Aalborg.

Derrière une façade participative, l'approche des agendas 21 locaux est institutionnelle. D'ailleurs, lorsque l'ICLEI décide de procéder à leur évaluation, en 2001, son cadre général dénommé Strategic Services Planning (Planification stratégique des services) procède d'une vision très normative : le mode de déclinaison locale préconisé pour l'Agenda 21 est une invitation aux pouvoirs institutionnels locaux et nationaux pour qu'ils définissent les règles d'actions.

Dans un tel contexte, il est n'est pas étonnant que l'assemblée générale des Nations unies ait dressé en 1997 un bilan négatif des agendas 21 locaux, lors de la session spéciale Rio + 5, dénonçant un taux d'application trop faible et des résultats mitigés (www.un.org/esa/earthsummit/). Une équipe de chercheurs rattachée à l'université d'Oslo, le Programme pour la recherche et la documentation pour une société durable (PROSUSCOM) a élaboré un bilan comparatif des agendas 21 locaux urbains dans douze pays de l'Union [Lafferty W., 1999, *Implementing Local Agenda 21 in Europe, New Initiatives for Sustainable Communities*, Oslo, European Commission DG XII, ProSusCom]. Ce travail a montré, entre autres, que les pratiques qui se déclinent derrière l'appellation d'agenda 21 local, intègrent imparfaitement l'ensemble des dimensions que recouvre le développement durable. Une typologie fait apparaître quatre grandes tendances selon les cadres politiques et culturels [Charlot-Valdieu C., Emelianoff C., 2001, « Analyse prospective d'agendas 21 locaux en France et en Europe », *Cahier du CSTB*]. On distingue ainsi :

– les agendas centrés sur les effets planétaires des comportements et des gestes quotidiens (solidarité Nord-Sud, aide publique au développement, effet de serre, etc.), privilégiant un « mode de vie durable » (pays scandinaves, Pays-Bas, Allemagne, Autriche) ;

– ceux centrés sur la qualité de vie liée au mode d'urbanisation, entendant la notion d'environnement dans un sens très large (Espagne, France, Italie) ;

– ceux qui mettent l'accent sur la valorisation de la diversité culturelle, faisant le lien entre vitalité communautaire et responsabilisation face à des problèmes environnementaux, forcément de proximité (Royaume-Uni et Irlande) ;

– ceux centrés sur une planification volontariste de la ville (par exemple en matière de transports ou de localisation d'activités), s'appuyant sur des mesures fiscales, réglementaires et sur la valorisation d'écoprocédés dits alternatifs (chauffage urbain, transports « doux », etc.) (Allemagne et Pays-Bas).

2.2 Les étapes d'un agenda 21 local

Le contexte institutionnel et les traditions locales influent plus fortement sur la forme de l'agenda que la nature des problèmes à traiter. On peut synthétiser comme suit les cinq étapes de mise en œuvre d'un agenda 21 local :

– Une phase d'approche, où une collectivité manifeste son souhait d'une gestion intégrée de son environnement et de son milieu de vie marque souvent le début du processus. Il est conseillé d'y associer habitants, associations, syndicats, entreprises, agriculteurs, etc.

– Puis, une phase d'identification des problèmes et des objectifs concrets à atteindre est nécessaire. Étape délicate, dans la mesure où il y a souvent d'importantes divergences entre acteurs. Ainsi, selon un rapport de l'Institut de l'Élevage, les années quatre-vingt-dix ont été marquées par un intérêt pour les fonctions environnementales de l'élevage qui s'est concrétisé par des agendas 21 locaux nombreux dans les espaces ruraux [Groupe 3 R, 1998, 5ᵉ rencontres autour des recherches sur les ruminants, Cité des Sciences et de l'Industrie, Paris]. Mais les finalités n'étaient visiblement pas les mêmes selon les interlocuteurs. Pour l'agriculteur, il était question de produire une marchandise se vendant mieux, car bénéficiant d'un viatique écologique. Pour le résident, non agriculteur, il s'agissait d'entretenir des zones humides et des sous-bois afin d'éviter inondations et incendies. Pour le touriste, il s'agissait de préserver un paysage ouvert et accueillant. Pour l'élu, de maintenir des emplois et de créer un bon effet d'image. Définir des priorités entre toutes ces parties relève de la gageure.

– Il convient ensuite de hiérarchiser les problèmes à traiter à la lumière des objectifs à atteindre. Cela permet de fixer des sous-objectifs, des sous-actions et enfin des programmes pour les atteindre. Ils doivent comporter des projets spécifiques et intégrer les outils législatifs et réglementaires.

– Programmes et projets sont alors formalisés à l'intérieur d'un plan d'action. Une large consultation du public est nécessaire, avec sensibilisation dans les lieux publics (écoles, centres de loisirs, bibliothèques, mairies), réunions, etc. Puis les programmes sont déclinés en projets spécifiques intégrant les outils législatifs.

– La mise en œuvre du plan d'action est, enfin, l'objet d'une évaluation en continu, car il importe qu'un agenda 21 local puisse être amendé en fonction des résultats obtenus et des dysfonctionnements rencontrés.

La traduction concrète de ces étapes n'est pas évidente. Ainsi, le mode de déclinaison de l'Agenda 21 en agendas 21 locaux impose de trouver des formes de participation allant au-delà des simples actions d'information et de sensibilisation. Il est rare d'y parvenir. En effet, des structures de concertation réellement actives et représentatives doivent s'inscrire dans la durée. Elles ne sauraient apparaître uniquement lorsque des « problèmes » se posent, sauf à se réduire rapidement à des groupes de pression et de contestation. D'autre part, très peu de collectivités réussissent à associer et faire participer le tissu économique à l'élaboration des agendas 21 locaux. L'exemple de Calvià, en Espagne, illustre bien cela. En réaction aux effets néfastes de la pression touristique sur l'environnement et la vie sociale, la ville a mis en place depuis quelques années un agenda 21 local. Elle a, pour le moment, globalement échoué à impliquer les constructeurs immobiliers qui sont pourtant les principaux acteurs des dégradations constatées [Ajuntament de Calvià Mallorca, 1999, *Agenda 21 – The Sustainability of a Tourist Municipality – Plan of Action*, Palma].

2.3 Agendas 21 locaux en France

Un agenda 21 local gagne à s'intégrer aux outils d'aménagement existants, sauf à n'être qu'un « machin » déconnecté des réalités du terrain. Cette mise en concordance s'accompagne, hélas, de nombreux effets pervers comme le montre le cas français. Ce qui caractérisait, jusqu'en 1999, la création d'un agenda 21 local en France était son caractère volontaire. Il n'existait notamment pas de cadrage méthodologique précis. Il en découla des projets très clairsemés. En 1999, 150 collectivités locales étaient engagées dans un agenda 21 local soit moins de 0,01 % des collectivités françaises. Derrière ce chiffre, on trouvait des initiatives de nature très diverse : municipalités qui n'étaient pas encore passées à l'action mais avaient produit des déclarations d'intention ; collectivités locales qui avaient formellement lancé une procédure d'agendas 21 locaux, etc. Si l'on devait s'en tenir à une définition stricte de l'agenda 21 local, le chiffre tombait à une quinzaine de collectivités.

Une batterie de lois nouvelles, intégrant de manière volontariste le développement durable, a alors créé une situation beaucoup plus contraignante : Loi d'orientation pour l'aménagement et le développement durable du territoire (LOADDT) de 1999, loi relative au renforcement et à la simplification de la coopération intercommunale de 1999, loi Solidarité et renouvellement urbain (SRU) de 2000. À l'origine de ces textes, le constat que la croissance urbaine française est caractérisée par un mouvement de métropolisation faisant converger activités et population dans quelques villes au détriment du reste du pays. Le constat, également, qu'une différenciation spatiale accrue a renforcé clivages sociaux et inégalités en milieu urbain, avec un déficit d'équité et d'efficacité. Dans un tel contexte, qui relève clairement des préoccupations de l'Agenda 21, ces trois textes sont conçus pour redonner cohérence aux politiques d'aménagement. À une vision dominée par le zonage ils substituent une approche centrée sur les espaces de vie et s'appuyant sur une logique de projet. Ici, le projet définit le territoire via une concertation entre collectivités territoriales, monde économique et associations représentatives des habitants, jouant ensemble le rôle de parties prenantes :

– La LOADDT crée de nouveaux outils de prospective et de planification stratégique dans l'esprit du développement durable : les schémas de services collectifs. La LOADDT invite aussi agglomérations et pays à élaborer des projets de territoires conformes aux recommandations de l'Agenda 21 : chartes de pays et projet d'agglomération, constituant de véritables agendas 21 locaux abondé par l'État dans le cadre du volet territorial des Contrats de projets État-région (CPER).

– La loi relative au renforcement et à la simplification de la coopération intercommunale repose sur le regroupement d'un bloc de compétences (aménagement de l'espace, développement économique, transports, développement social urbain) et la création d'une Taxe professionnelle unique (TPU) au niveau de la structure intercommunale. Elle crée une solidarité fiscale et économique conforme aux préconisations du développement durable.

– La loi SRU instaure deux outils de planification : les Schémas de cohérence territoriale (SCOT) et les Plans locaux d'urbanisme (PLU). Le SCOT permet de coordonner les politiques menées en matière d'urbanisme, d'habitat, de développement économique, de déplacements et d'implantations commerciales. Le PLU permet de mettre en place une politique globale pour l'aménagement et le renouvellement de la ville ou du village. Il doit reposer sur un Projet d'aménagement et de développement durable (PADD).

Par les obligations qu'ils imposent, ces textes, accouchent de trois grands types de projets d'agendas 21. Le premier correspond à une stratégie globale et intégrée qui répond plutôt bien à la définition d'un agenda 21 local. Le second, plutôt en milieu urbain, correspond à des projets sectoriels : environnement, déplacements, habitat, énergie, santé, action économique, tourisme. Peut-on encore parler ici d'agenda 21 local ? Un troisième grand type, encore plus « cosmétique », concerne des actions qui ne sont qu'une mise en visibilité de politiques existantes.

Quant à la forme des territoires concernés par les agendas 21 locaux en France, on a un ensemble assez hétéroclite. On trouve dans le plus grand désordre, des agglomérations importantes comme Dunkerque, Lille ou Lyon, des villes moyennes comme Autun, Angers ou Chambéry, des communes et des EPCI situées en périphérie des grandes villes ou rurales, des parcs naturels régionaux tel le PNR du Limousin, des syndicats mixtes tels ceux de Gâtine ou du Val-de-Drôme, des départements entiers comme celui de l'Hérault ou de Seine-Saint-Denis.

2.4 Premier bilan, quinze ans après Rio

La mise en place des agendas 21 locaux oblige à opérer nombre d'interprétations hasardeuses de principes fondateurs mal définis. Le chaos est accru par les changements de majorité politique (locale, régionale ou nationale) qui tendent à remettre en cause un nombre de projets, tout au moins à en transformer radicalement les orientations. Certaines démarches parmi les plus anciennes, dont on pouvait commencer à tirer des enseignements ont ainsi été laissées en suspens voire purement et simplement abandonnées. Apparaît ici toute la difficulté d'inscrire une stratégie à long terme dans le cadre de mandats électoraux de courte durée.

Susceptibles de nombreuses dérives, les agendas 21 locaux, bras armés du développement durable, soulignent en fait les difficultés à traduire sur le terrain les intentions généreuses mais vagues que recouvre le thème de la durabilité. Le développement durable est dilué dans d'autres politiques à mesure qu'il est instrumentalisé au service des intérêts les plus divers. Si les impératifs du développement durable, qui se déclinent à toutes les échelles spatiales, ont des conséquences majeures sur les options d'aménagement. Les politiques d'aménagement influent en retour sur la définition des objectifs et des moyens du développement. Il convient de ne pas oublier que, si l'agenda 21 local est à la fois document stratégique de développement d'un espace à moyen et long terme et un plan d'action pour la mise en œuvre de cette stratégie, il est aussi avant tout un projet politique. À ce stade, on peut constater deux grands types d'écueils dans la mise en œuvre des agendas 21 locaux :

– Nombre d'acteurs sont tentés de profiter du caractère flou des attentes et de l'absence de référentiels pour infléchir les actions et les projets relevant des agendas 21 locaux dans le sens qui les arrange. Il s'agit le plus souvent d'améliorer leur image ou d'obtenir des financements pour des actions ne relevant pas vraiment du développement durable. Éviter cet écueil suppose une application systématique et rigide de principes qui, en retour, ont parfois des effets dévastateurs, compromettant les équilibres qu'ils étaient supposés préserver.

– L'aspect excessivement réglementaire des dispositifs les rend peu réactifs aux inévitables transformations qui affectent les sociétés. Le poids qu'y prennent les acteurs institutionnels, trop important par rapport à celui de la société civile ou des acteurs économiques, renforce ce travers.

Pour y répondre, il importe de disposer d'outils permettant de réaliser des diagnostics et des indicateurs de suivi. C'est toute la question de l'évaluation qui est posée : à partir de quel référentiel articuler les multiples échelles institutionnelles et autres dans lesquelles tout projet s'insère ?

3. Évaluations approximatives et formalisations excessives

La question de l'évaluation est aussi essentielle que délicate ; opération singulière liée au contexte dans lequel elle est demandée. En général, le commanditaire attend des résultats directement utilisables. Il y a fort à parier, si l'évaluation n'est pas favorable au commanditaire celui-ci préférera ne rien faire que de prendre des décisions à l'encontre de ses convictions ou de ses intérêts. Dans le même temps, ce dernier ne dit pas clairement ses objectifs, laissant l'évaluateur le faire à sa place. Il se crée autant, sinon plus, d'obstacles dans la conduite des évaluations par les incertitudes sur les intentions que par les méthodes développées. Il n'y a donc d'évaluation possible que pour des actions bien circonscrites dans le temps, dans l'espace, et dont les acteurs sont identifiés. Cela est d'autant plus important dans le cas des politiques relevant du développement durable, où les choix idéologiques, les compétitions partisanes et l'activité des groupes d'intérêts jouent un rôle déterminant.

On peut distinguer les évaluations entre elles à partir de leur position par rapport à l'objet évalué. Elle peut être prospective et anticiper l'action (évaluation ex-ante), la suivre (évaluation ex-post) ou l'accompagner (évaluation initinere). Mais dans tous les cas de figure, elle doit suivre trois règles :

– Présenter les outils et afficher le protocole dans le document final, afin de garantir une transparence méthodologique. C'est la règle de transparence.

– Mettre en perspective des méthodes employées en les comparant à des cas similaires. C'est la règle de reproductibilité.

– Distinguer entre conception puis exécution, du ressort du commanditaire, et l'analyse-conseil, du ressort de l'évaluateur. En aucun cas l'évaluateur n'a à formuler des préconisations. Il est non seulement expert, mais aussi médiateur engagé dans le processus pour créer un lieu où les points de vue des acteurs, des politiques et des populations se rencontrent. C'est la règle de séparation.

3.1 Des évaluations singulièrement orientées

Dans le domaine des agendas 21 locaux, ces règles sont peu respectées. Prescripteurs et évaluateurs, se confondent souvent. Les rapports de forces entre acteurs en concurrence, les *a priori* socioculturels et les pressions économiques, influent sur les choix des indicateurs, des variables et des niveaux. Dès lors, comment traduire le développement durable en termes d'indicateurs pertinents ? Trois faits rendent la tâche ardue :

– L'échelle d'observation et la perspective institutionnelle adoptées influent sur le choix des variables. Or, il existe une forte imbrication de collectivités territoriales, dont les attentes peuvent être contradictoires.

– Il est aisé de créer des indicateurs quantitatifs à partir de la combinaison de n'importe quelles variables. Toute la difficulté consiste en ce qu'ils soient assez généraux pour dépasser le cadre d'une seule étude. Comment comparer les résultats d'un agenda 21 local mis en œuvre dans le Bassin parisien et dans un espace rural népalais ?

– Il existe une grande part de subjectivité dans les effets recherchés. Ainsi, le seuil d'acceptabilité des impacts environnementaux est d'autant plus faible que les problèmes ont un contenu « humanitaire » à forte charge émotionnelle, ou qu'ils sont quotidiens et affectent les gens directement : bruit, odorat, propreté, etc. Dès que le⃰ risque n'est pas immédiatement perceptible, il n'est pas perçu comme prioritaire. Son chiffrage est d'autant plus faible. Selon que l'évaluation prenne en compte des sensibilités ou des données écosystémiques, les résultats seront fort différents.

Il est, en outre, courant d'avoir, dans un même chiffrage, de pertes évaluées du point de vue de la société (pollution atmosphérique, bruit, etc.) et des gains évalués du point de vue des individus (« temps gagné » dans un déplacement). Cette confusion est loin d'être innocente. Elle permet d'imposer des nuisances à certains (riverains d'une route à grande vitesse soumis à la pollution atmosphérique, au bruit, aux effets de coupure, etc.) parce qu'elles sont moins valorisées que les avantages que d'autres en retirent (automobilistes gagnant quelques minutes sur leur trajet quotidien). Le problème prend encore une autre dimension lorsque les décisions engagent des tiers absents, telles les générations futures ou les espèces animales et végétales, en raison de l'impossibilité d'envisager des compensations.

Prenant en compte ces difficultés, les Nations unies ont proposé, en 2001, un système d'évaluation du développement durable en général et des agendas 21 locaux en particulier (www.agora21.org/rio92/A21_html/A21_1.html). Il a été proposé un ensemble de 134 indicateurs, réduits à 58 dans un deuxième temps et divisés en quatre groupes : indicateurs sociaux, indicateurs économiques, indicateurs environnementaux, indicateurs institutionnels. Mais la démarche a suscité un tollé chez les utilisateurs potentiels (collectivités, pays, ONG, pays, etc.) : quelle est la pertinence d'indicateurs universels s'appliquant de manière indifférenciée ? Unilatéralement, la Communauté européenne décide de n'en reprendre que 40. Dans le même temps, en France, l'Institut français de l'environnement (IFEN) travaille à la construction d'un système spécifique donnant la priorité aux arbitrages intergénérationnels. Il retient 70 indicateurs utilisés ponctuellement par les services statistiques français [IFEN, 1998, *Le test des indicateurs de développement durable des Nations unies*, IFEN, coll. « Études et Travaux »]. Plusieurs pays européens mettent également au point leurs propres indicateurs. C'est le cas du Royaume-Uni. On se retrouve donc avec des batteries d'indicateurs hétéroclites, impossibles à comparer entre elles, chacune construite pour magnifier les actions et les projets de son concepteur.

Pour les indicateurs locaux, la situation est similaire. Ainsi, lors de la Conférence de la Campagne des villes durables européennes d'Hanovre, en 2000, a été présenté un ensemble de dix indicateurs de durabilité locale. Mais, dans le même temps, le programme Référentiel d'évaluation et de suivi des politiques environnementales des collectivités territoriales (RESPECT), piloté par l'École nationale d'application des cadres territoriaux de Montpellier (ENACT), était appelé à mettre en place sa propre batterie d'indicateurs, avec un financement de l'Union européenne dans le cadre du programme LIFE-Environnement. Un tableau de bord est créé qui comporte soixante-treize indicateurs classés par grands thèmes : milieux physiques, pollutions et nuisances (déchets, transports, bruit, etc.), protection de l'individu (santé, risques, etc.), ressources (énergie, espaces naturels, etc.), cadre de vie (urbanisme, paysages, etc.), participation des habitants (concertation). Il va sans dire que ces deux groupes d'indicateurs urbains s'ignorent superbement.

Outre le fait que toutes ces batteries d'indicateurs sont assez arbitraires, la notion même d'évaluation y est pervertie. Il convient de rappeler que le résultat d'une évaluation ne réside pas dans une mesure, mais dans l'élaboration d'un cadre interprétatif. L'évaluation ne peut se limiter à un système d'information statistique dédié à la fourniture de données à des instances de décision de l'action publique. Il faut, ici, opérer une distinction entre suivi, expertise et évaluation. Le suivi permet un recueil de données, un inventaire. L'expertise permet d'organiser les faits recueillis selon un point de vue précis et d'organiser ainsi les éléments de connaissance. L'évaluation n'est pas une simple analyse d'écarts entre des effets recherchés et des effets obtenus, et elle n'est pas isolable de son contexte.

3.2 Une formalisation inadaptée car excessive

L'évaluation appelle une prise en compte des conditions politiques. La vraie question est : selon quels critères la puissance publique assure-t-elle la production et la diffusion du développement durable ? Comme la confusion créée par tous ces indicateurs est extrême, il est difficile d'apporter une réponse claire à cette question. Dès lors, la tentation est forte de démarches normatives, facilement contrôlables, imposées au mépris de réalités locales.

La tentation de contrôle par la norme de l'Union européenne trouve sa légitimité dans le problème du financement. L'argent constitue le « nerf de la guerre » pour des projets locaux qui n'ont parfois comme motif réel que la recherche de subventions. À l'origine, ce sont les fonds structurels qui ont financé les opérations locales de développement durable. Ils étaient consacrés initialement au développement socio-économique dans les États membres : régions en retard de développement, en reconversion, zones industrielles en déclin ou encore zones rurales fragiles. En 1993, leur règlement a été revu afin que les attributions tiennent compte du profil environnemental de l'espace concerné. Dès 2000, pour l'éligibilité à ces fonds, l'accent a été mis sur l'importance de projets conformes à l'esprit du développement durable. Par ailleurs, l'Union européenne finance des Programmes d'initiatives communautaires (PIC) dédiés développement durable. Parmi eux, on peut citer le programme URBAN, depuis 1996, qui concerne villes et agglomérations.

Mais ce sont les organismes internationaux qui ont les approches les plus normatives, en édictant à profusion des règles de « bonnes pratiques ». Ainsi, la Banque mondiale intervient directement dans les projets de développement durable des pays pauvres en leur allouant des fonds qui impliquent la collaboration du pays emprunteur à des directives édictées unilatéralement par la Banque mondiale. Parmi les six nécessités sur lesquelles elle insiste, il s'en trouve deux tout à fait significatives : « encourager le développement des entreprises privées » et « promouvoir des réformes afin d'instaurer un environnement macroéconomique stable, qui permette de faciliter l'investissement et la planification à long terme ». Certes l'intention est louable en apparence, dans des systèmes gangrénés par un clientélisme généralisé. Mais elle n'est pas forcément adaptée aux réalités locales. La Banque mondiale travaille de pair avec le Fonds monétaire international (FMI). Ce dernier accorde des prêts aux pays sous condition de l'application de mesures dites de « bonne gouvernance ». L'ensemble de ces mesures forme ce qu'il est convenu d'appeler un Programme d'ajustement structurel (PAS). Il réforme en profondeur les structures du pays emprunteur au nom d'une lutte contre la corruption. Les pays pauvres, sont forcés de recourir à ces deux organismes, puisqu'il n'existe plus d'autre bailleur de fonds prêt à accorder le financement nécessaire.

Le dispositif a deux effets pervers. Les États demandeurs sont obligés de donner à nombre de leurs projets une apparence de développement durable qui ne correspond pas du tout à leurs objectifs réels. Cela décrédibilise définitivement ce thème qui devient, pour eux, une lubie de pays riches. De plus, comme les mesures imposées ne répondent pas aux réalités locales, bien souvent la situation empire. Comme le résume un rapport parlementaire : « Nous ne pourrons faire l'économie d'un débat sur la question des normes. Que signifient des normes édictées par le Nord, où l'on parle plus de microgrammes de nitrates dans l'eau que de millions de salmonelles ? » [Groupe de Prospective du Sénat, 2003, *L'eau : un défi pour l'humanité, au cœur des stratégies pour un développement durable*, Actes de colloque, Paris, Sénat]. Une telle situation alimente la critique selon laquelle le développement durable reflète le point de vue élitiste des pays riches.

In fine, la question est celle de l'arbitrage entre les trois sphères du développement durable : économique, sociale et environnementale. En effet, le développement durable est supposé être respectueux des ressources et des écosystèmes, et garantir l'efficacité économique sans perdre de vue les finalités sociales (lutte contre la pauvreté, contre les inégalités). Stratégie supposée gagnante d'un triple point de vue, économique, social et environnemental formant un cercle vertueux. Mais, ce cercle vertueux est le plus souvent surtout virtuel. Son opérationnalité passe par deux impératifs :

– Le principe de solidarité dans le temps et dans l'espace (vis-à-vis de la part de l'humanité qui subit nos nuisances et vis-à-vis des générations futures à qui nous devons transmettre des conditions de vie acceptables).

– L'articulation du court et du long terme, des préoccupations globales et locales, qui suppose de prendre en compte toutes les relations existant entre des ensembles concernés.

Dès lors, le développement durable ne peut se déployer que dans des territoires et par des territoires. Ils en sont le socle. L'applicabilité du développement durable dépend donc de la définition de territoires pertinents de l'action.

3.3 À la recherche de territoires pertinents pour l'action

Généralement utilisé comme un synonyme d'espace approprié le terme de territoire s'est beaucoup banalisé. Son utilisation indiscriminée dans le sens d'espace ou de maille spatiale politico-administrative ne contribue pas à en éclaircir le sens. Cette imprécision de langage autorise une grande variété d'utilisations. Puisque le développement durable est supposé se déployer dans des territoires, la moindre des choses est de définir de quel territoire il s'agit. Dans la pratique, un territoire résulte de la conjonction de trois dimensions :

– Celle politique et juridique d'un territoire ordonné et géométrique, où le monde se divise comme les pièces d'un puzzle, dans lequel tout individu est précisément situé. Ce sont souvent les nécessités de gestion de l'espace et de contrôle politique qui sont à l'origine de cette dimension. Il n'y a ni flou, ni superposition. Ici, chacun est très précisément en dedans ou dehors du territoire.

– Celle où le territoire est un espace approprié par un groupe social. Une telle perspective implique des conflits avec les groupes sociaux voisins ou coexistants dans le même espace. Cette conception est sous-tendue par l'existence de lieux et de cheminements scandant les ressources : travail, habitat, etc.

– Celle où le territoire ne se définit pas par une appropriation matérielle, mais par une identification. On « appartient » à un territoire plus qu'on ne le « possède ». L'on s'y bat plus pour des territoires inscrits dans la mémoire et l'imaginaire, que pour des territoires physiques. Le réveil des nationalismes et la multiplication des conflits ethniques ou religieux montrent, aujourd'hui, l'importance de cette acception.

Chacune de ces trois dimensions montre qu'un territoire ne se définit pas en vase clos, mais doit prendre en compte territoires et espaces voisins ou lointains. Ce sont les caractéristiques de cette articulation qui donneront sa légitimité à la configuration territoriale retenue. Toute action située territorialement a des effets de débordement, démultipliant les effets spatiaux, élargissant l'espace d'incidence, accentuant les impacts initiaux. Ainsi, une revendication de 5 % d'augmentation de salaires en Allemagne peut affecter le cours du cacao en Côte-d'Ivoire par un ralentissement général de l'activité économique : « a) la revendication incite la Banque centrale, par crainte de l'inflation, à restreindre les liquidités et augmenter le taux d'intérêt ; b) la Banque de France fait de même pour éviter la fuite de capitaux vers l'Allemagne ; c) de l'argent japonais se place en Allemagne ; d) les États-Unis, en manque d'argent, font monter le taux d'intérêt ; e) partout dans le monde la consommation se ralentit, et donc ralentit l'activité économique ; f) les pays du tiers monde dont le taux d'intérêt est indexé doivent rembourser à un taux plus élevé ; g) il y a moins de demandes à l'exportation pour les pays sous-développés, et le prix des matières premières diminue, dont le cours du cacao en Côte-d'Ivoire » [Morin E., Kern A. B., 1993, *Terre-Patrie*, Paris, Le Seuil]. Illustration de l'effet papillon appliqué à l'économie mondiale.

Qu'en est-il de la prise en compte des pollutions transfrontières dans un espace nécessairement borné. Par pollutions transfrontières, on entend généralement les pollutions globales (pluies acides, émissions de gaz à effet de serre ou des gaz produisant une altération de la couche d'ozone stratosphérique, etc.). Il convient pourtant aussi d'y inclure des pollutions régionales, issues des sources localisées. Tel est le cas de la contamination du Rhin jusqu'aux Pays-Bas par la Société des mines de potasse d'Alsace (SMDPA), longtemps au premier rang des contentieux environnementaux entre la France et les Pays-Bas. La Hollande accuse SMDPA de déverser dans le grand canal d'Alsace puis dans le Rhin des rejets salins (sulfates, ammonium, chlorures) susceptibles de détruire la flore et la faune aquatique. Cela empêche l'utilisation des eaux du Rhin à des fins alimentaires ou agricoles et favorise la corrosion des réseaux d'alimentation d'où un coût économique non-négligeable. Malgré un arrêté du tribunal administratif de Strasbourg du 3 août 1989 (Greffe du tribunal administratif de Strasbourg, requête du 27 décembre 1988 n° 851 798) donnant raison aux Hollandais, les activités de SMDPA se sont poursuivies, en l'absence d'un cadre arbitrant les niveaux acceptables pour la pollution saline. Seule la cessation d'activités des SMDPA a permis de clore le litige.

Ainsi, les territoires pertinents de l'action divergent avec la sphère du développement durable à laquelle l'on s'intéresse. L'espace fonctionnel et d'emploi d'un pôle industriel, par exemple, ne coïncide pas avec le territoire géographique des nuisances environnementales qui en résultent. Il tend également à se déconnecter du territoire institutionnel, pourtant censé assurer la régulation du problème en question. Nous venons de le voir avec la potasse alsacienne.

Les inégalités et les injustices qui peuvent marquer les générations successives, se manifestent donc aussi d'un territoire à l'autre, comme entre individus et sociétés d'un même territoire. Ce constat a donné naissance à la notion de durabilité importée [Pearce D., Markandya A., Barbier E. B., 1989, *Blueprint for a Green Economy*, Londres, Earthscan Publication]. Il y a durabilité importée lorsqu'un territoire garantit la durabilité de son développement en rejetant son coût sur d'autres territoires : transfert des pollutions (exportation de déchets) ou des activités polluantes, achat sous-évalué de ressources. Le territoire concerné ne respecte qu'en apparence les conditions générales de la durabilité. Dans une telle perspective, il n'existe de durabilité réelle que lorsque la délimitation des territoires de l'action intègre, d'entrée de jeu, cette préoccupation.

La méthode de « l'empreinte écologique » permet d'estimer la durabilité importée [Wackernagel M., Rees W., 1996, *Notre empreinte écologique* (traduction française 1999), Montréal, Éditions Écosociété]. Il s'agit d'évaluer pour un territoire donné les surfaces nécessaires à l'accomplissement des diverses activités : logement et foncier, alimentation, ressources naturelles, absorption de gaz carbonique, etc. On déduit de la superficie réelle du territoire, la surface totale calculée, établissant ainsi sa biocapacité disponible pour utiliser la terminologie consacrée. Un résultat négatif indique les besoins d'une durabilité importée, et le chiffre indique alors les quantités de surface devant être « prélevées » à l'extérieur pour assurer le fonctionnement durable du territoire. Une telle approche n'est quantitative qu'en apparence et pêche à de nombreux égards. Elle place, d'une part, différentes nuisances et ressources sur un pied d'égalité. Comme si tous ces éléments étaient, sinon équivalents, du moins dans un rapport homothétique : celui du ratio ramenant nuisance ou ressources à un certain nombre de mètres carrés de surface. Elle ne dit rien, non plus, sur la manière dont se fait l'estimation initiale des besoins du territoire, ni sur l'établissement des ratios. Ces données sont, dès lors, manipulables à souhait. Son premier intérêt réside dans les intentions : elle met en avant la dimension spatiale du développement durable, et permet de voir jusqu'à quel point un territoire dépend de son environnement extérieur. Elle montre bien le décalage entre l'espace des problèmes et ce que l'on pourrait nommer l'espace des réponses.

Trois dilemmes fondateurs

Partant d'une notion multiforme, toute la difficulté des politiques de développement durable est de s'insérer dans un référentiel lisible. Les sphères économique, environnementale, sociale et culturelle ne sont pas isolables les unes des autres. La dimension environnementale est assez facile à considérer. Sommairement, le développement durable aborde la gestion de l'environnement à partir de deux fonctions complémentaires. Quand nous consommons une ressource à un rythme supérieur à sa vitesse de renouvellement, nous détériorons de manière irréversible la fonction source du milieu. À l'inverse, lorsque nous rejetons dans une rivière des effluents pollués à un rythme supérieur à sa capacité d'auto-épuration, nous détériorons de manière irréversible sa fonction puits. Par contre, les dimensions économiques et sociales sont beaucoup plus difficiles à estimer.

L'objet principal du développement durable est l'intégration de l'homme aux systèmes qu'il habite. Sa préoccupation première sera de répondre, de manière certes plus sophistiquée qu'à l'aube des temps, à l'éternel problème de l'existence et de la survie. Les conditions de vie sont donc une préoccupation majeure, tout au moins dans les discours : esthétique du lieu de vie ; habitat et transports ; qualité de l'air, de l'eau, des produits alimentaires ; environnement sonore, etc. Tout l'enjeu est de comprendre l'interprétation que les groupes humains font de leur environnement, et selon quelles priorités ils procèdent à sa transformation. Cela définit différents types de durabilité, qui vont d'une durabilité dite faible à une durabilité dite forte.

On trouve donc, aux fondements du développement durable, trois dilemmes structurels : la place de la gouvernance locale, le type de durabilité, et l'imprécision sur ce qui relève des ressources naturelles et de leur usage.

I. Aléas de la gouvernance locale

La plupart des approches territoriales qui fondent les politiques de développement durable sont sous-tendues par un débat – explicite ou implicite – sur la notion de « bonne gouvernance ». Or, la gouvernance est l'objet d'une multitude de définitions et d'une myriade de pratiques, relevant de champs disciplinaires et théoriques variés, de l'économie institutionnelle aux relations internationales en passant par la sociologie des organisations et l'administration publique. En conséquence, le terme est susceptible de tous les détournements.

Il importe d'examiner son évolution. Utilisé pour la première fois en 1471 en Angleterre [Fortescue J., 1997, *On the laws and governance of England (1471)*, ed. Lockwood S., Oxford, Cambridge University Press], il a été ressuscité en 1937 par l'économiste Ronald Coase pour avancer l'hypothèse que l'entreprise est plus efficace que le marché pour organiser certains échanges. Dans les années soixante-dix, les économistes institutionnalistes ont commencé à utiliser le terme de *corporate governance* (gouvernance d'entreprise) pour désigner les dispositifs de coordination mis en place par les entreprises. À la fin des années quatre-vingt, la notion est importée dans l'administration publique, lorsque le gouvernement anglais met en place une série de réformes limitant le pouvoir des autorités locales, jugées inefficaces et trop coûteuses. Les termes de « gouvernance locale » et de « gouvernance urbaine » apparaissent pour qualifier de nouveaux comportements, supposés vertueux, des gouvernements locaux britanniques. Vers la même période, le terme fait également son apparition dans les relations internationales. La Banque mondiale et le FMI introduisent le terme de *good governance* (« bonne gouvernance ») pour qualifier les critères de bonne administration publique dans les pays soumis à des programmes d'ajustements structurels, ainsi que l'aptitude des pays récipiendaires à mettre en œuvre une organisation politique et administrative efficace. L'accent est mis sur l'efficacité de gestion et la lutte contre la corruption. C'est pourquoi, lorsque le terme se popularise, il le fait sur un constat d'incapacité des gouvernements à mettre en pratique certaines politiques, face au refus de certains groupes sociaux à reconnaître leur légitimité.

1.1 Années quatre-vingt-dix :
la gouvernance s'impose dans l'action publique

Dans les années quatre-vingt-dix, la gouvernance désigne la capacité de la société à s'autoréguler. Elle correspond à « *all these interactive arrangements in which public as well as private actors participate aimed at solving societal problems or creating societal opportunities* » (« toutes les combinaisons dans lesquelles des acteurs publics et privés interagissent pour résoudre des problèmes sociétaux ou créer des opportunités sociétales ») [Kooiman J., 2000, « Societal governance », in *Debating governance*, Pierre J. (ed.), p. 138-166, Oxford, Oxford University Press]. La gouvernance dénonce le modèle politique traditionnel qui confie aux seules autorités politiques la gestion des affaires. Elle diversifie et multiplie les acteurs qui interviennent dans la gestion publique (organisations à but non lucratif, entreprises privées, habitants), supposés trouver ensemble des solutions aux problèmes collectifs de la société. Les autorités publiques voient leur rôle modifié : d'interventionnistes, elles deviennent animatrices et régulatrices. La gestion de l'action repose sur un processus de négociation permanent entre acteurs hétérogènes. La plupart des auteurs mettent l'accent sur les formes horizontales d'interactions, sur l'autonomie de secteurs et de réseaux à l'égard de l'État et sur les processus de coordination des acteurs politiques et sociaux [Rhodes R., 1996, « The new governance: governing without government », *Political Studies*, n° 44, p. 652-667].

Deux grands courants de pensée s'affrontent dans leur interprétation de cette gouvernance. Le premier l'envisage sous l'angle des modes de coordination de l'action publique, évitant inefficacité et gaspillages financiers en période de restrictions budgétaires. Le second considère que, derrière la transformation des manières de faire, se profilent les questions des luttes de pouvoir, de la légitimité de ceux qui sont associés au processus de décision, de l'émergence et de la disparition d'acteurs. Selon la perspective retenue, la gouvernance est vue comme un instrument de renforcement de la libéralisation des économies ou au contraire comme un outil permettant de maintenir ou de rétablir une cohésion territoriale.

Du fait de la confrontation entre ces deux visions, la gouvernance est l'objet de critiques virulentes qui cachent des convictions idéologiques derrière des positions scientifiques de principe. Pour certains, elle est un instrument au service de la libéralisation des échanges, dans la mesure où elle limite le rôle des gouvernements. Pour d'autres, elle est une voie ouverte à la démocratisation du fonctionnement étatique et aux initiatives locales. Là où certains voient une réponse à la complexité du réel, d'autres distinguent une justification de l'affaiblissement du rôle de l'État. Sans entrer dans cette polémique, on peut définir la gouvernance comme « l'aptitude, pour un ensemble complexe d'organismes, à prendre des décisions assumées par tous les acteurs et à mettre en œuvre un système de pilotage efficace » [Body-Gendrot S., 1998, *Les villes face à l'insécurité*, Paris, Bayard]. Il en découle qu'une « bonne » gouvernance doit permettre de coordonner l'action d'acteurs nombreux et autonomes. La bonne gouvernance suppose un contrôle par des acteurs extérieurs, par exemple les habitants. On peut constater une différence dans la manière dont s'exerce la nécessaire articulation entre compétences et échelons territoriaux. En effet, la gouvernance peut se décliner à des échelles géographiques différentes.

1.2 Gouvernance ou gouvernances ?

On parle de gouvernance mondiale lorsqu'il est question de régulations internationales : réforme des Nations unies, maîtrise de la mondialisation. Les structures de la politique internationale ont été ébranlées en profondeur par la fin de la guerre froide et la mondialisation des échanges. Les États et les institutions internationales héritées de l'après-guerre se sont montrés incapables de s'adapter à cette nouvelle donne. En réponse à cette crise de la gouvernabilité se sont développées des réflexions autour de la notion de gouvernance globale. Elles rendent compte de l'émergence de modes de régulation informelle associant États, organisations intergouvernementales, entreprises transnationales, fondations privées, groupes de pression nationaux ou encore coalitions d'organisations non gouvernementales (ONG). Ils révèlent une « gouvernance sans gouvernement » [Rosenau J. N., 1997, *Along the Domestic-Foreign Frontier : Exploring Governance in a Turbulent World*, New York, Princeton, Princeton University Press]. Dans ce cadre, la gouvernance est interprétée de deux façons. Certains l'assimilent à un système de normes qui surgit d'un accord ou d'un consensus sur des valeurs communes, des objectifs dégagés au cours de négociations transnationales associant les États mais aussi des acteurs privés et associatifs. D'autres considèrent qu'il n'y a pas de normes vers lesquelles converger, mais des mécanismes de dialogue. La gouvernance est alors considérée comme un processus d'accommodement entre des parties défendant chacunes leurs intérêts. Les deux formes sont utilisées dans le développement durable. Les Sommets de la Terre, qui réunissent un grand nombre d'acteurs issus de tous les horizons, inscrivent cette gouvernance dans la recherche d'un référentiel commun.

Mais la pertinence d'une approche mondiale est mise à mal par la récente fragmentation des espaces, des groupes sociaux et des activités, qui se manifeste par des déséquilibres spatiaux : concentration des populations dans les zones urbaines, ou étalement et mitage de la ville. En corollaire, on assiste à la multiplication des organismes, des réseaux, des agences, des institutions qui interviennent dans un espace donné. Leur superposition conduit à un émiettement du pouvoir. Il devient de plus en plus difficile pour les pouvoirs publics de prendre des décisions dans un univers aussi instable. Cela explique l'intérêt d'une gouvernance pensée localement : déclinaison et rédemption supposées de la gouvernance mondiale.

La gouvernance locale, à l'inverse de la gouvernance mondiale, qualifie des pratiques permettant de renouveler les formes traditionnelles de l'action publique articulant les actions locales (sinon localisées) avec les politiques menées par les États ou les Unions régionales (l'Europe, par exemple). Dans un contexte où aucun acteur ne dispose de toute l'information et de toute l'autorité nécessaire pour mener à bien une stratégie inscrite dans le long terme, celle-ci ne peut émerger que d'une coopération entre parties où chacune a des responsabilités et des compétences : processus de coordination d'acteurs pour atteindre des buts discutés et définis collectivement en environnements fragmentés. Mais, pour autant, cela ne suffit pas à l'inscrire dans une trajectoire de développement durable. Pour qu'il en soit ainsi, deux impératifs doivent être remplis :

– D'une part, les orientations, les projets et les actions doivent présenter une certaine pérennité. En particulier, ils doivent survivre aux changements de personnes, de majorités et d'enjeux locaux.

– D'autre part, les orientations et les pratiques de gouvernance locale doivent présenter une certaine flexibilité, permettant de réagir rapidement aux inévitables perturbations. Cela suppose une bonne représentation de la société civile et un cadre assez peu formalisé. La mise en place des agendas 21 locaux en offre le parfait contre-exemple, avec une conception très formaliste à des lieues des objectifs premiers de l'Agenda 21 défini à Rio.

1.3 La gouvernance locale et le développement durable à l'épreuve des faits

La notion de gouvernance locale comme médiation des rivalités et conflits est un processus de décision collective n'imposant une situation d'autorité ; une philosophie de l'action qui fait des habitants les acteurs du développement de leur espace de vie, quitte à ce qu'ils en redéfinissent les règles du jeu. Cela aussi autorise bien des dérives, comme le montrent les avatars des politiques d'aménagement mexicaines. Une interprétation fort originale de la gouvernance locale y donne à réfléchir sur ces nouveaux modes de régulation des sociétés locales.

Pendant plusieurs décennies, l'extension de Mexico s'est effectuée en dehors de tout code d'urbanisme. Puis, vers la fin des années soixante sous l'influence d'organisations internationales et la pression de l'Interamerican Development Bank (IDB) et de la Banque mondiale, un vocabulaire technique très normatif s'est imposé : *Plano Director*, *Plano Metropolitano* (Plan directeur, Plan métropolitain), etc. Cette grande période planificatrice (1960-1985) vit les agglomérations mexicaines se couvrir de nouvelles formes urbaines résidentielles, construites grâce aux financements nationaux et internationaux de logements populaires. La traduction de cette vision par les Nations unies était tout entière contenue dans le concept d'*human settlement* (implantation humaine), qui traduit à la fois les modifications dans la répartition spatiale de la population et dans les conditions du droit au sol. Appliqué à l'extension urbaine avec ses nouveaux découpages spatiaux, l'*human settlement* trouva vite sa place dans les *Planos Reguladores* (Plans régulateurs). Ainsi, l'*Asentamiento Popular Habitacional* (Accession populaire au logement) trouva sa traduction opérationnelle dans les *lotes* et *fraccionamientos* (parcelles et lotissements).

Mais, depuis le milieu des années quatre-vingt, la croissance démographique et l'étalement urbain de Mexico se sont nettement ralentis. La nature des problèmes a changé même si la ville subit encore aujourd'hui les conséquences de son hypertrophie antérieure. Si la pression urbaine a diminué et si l'accès aux services s'est amélioré, la ségrégation spatiale s'est accentuée avec une lisibilité dans le paysage qui renvoie à l'approfondissement des extrêmes sociaux. C'est alors, que les recommandations des organisations internationales, notamment de la Banque mondiale, se sont aussi transformées, faisant appel à un vocabulaire relevant de la gouvernance locale et du développement durable : *competitiveness, livability, good governance and management, bankability*. La combinaison de tous ces mots conduit à la *sustainable city* (ville durable). La *buena gobernabilidad*, version mexicaine de la bonne gouvernance de la Banque mondiale, s'attache à consolider les établissements humains en rendant leur environnement viable : assainissement, atténuation de nuisances diverses comme le bruit et la pollution, mesures de sécurité, etc. Mais une telle politique s'accompagne d'une vérité des prix des services.

Les villes du nord du pays, proches des États-Unis, géographiquement et économiquement, adoptent cette nouvelle forme de gestion urbaine. Mais celles du centre et de sud du pays, dont l'agglomération de Mexico, ne partagent pas leur enthousiasme. Elles restent attachées à une vision étatiste traditionnelle, largement marquée par des histoires notabiliaires. À Mexico, par exemple, les règles d'urbanisation sont fréquemment transgressées par des intermédiaires qui s'appliquent à donner l'apparence de leur observation tout en ne respectant nullement les lois sur le foncier. Promoteurs et lotisseurs souvent clandestins ou irréguliers. Ils jouent un rôle de médiation afin que le *fraccionamiento* et le *loteamiento* auxquels ils se livrent paraissent légitimes. En réalité, les populations de Mexico n'identifient pas leurs espaces de vie à des fraccionamientos qui n'ont qu'une apparence de rigueur administrative.

Dès lors les habitants eux-mêmes construisent un vocabulaire émargeant à la gouvernance locale, au service de leurs intérêts, selon les interlocuteurs auxquels ils ont affaire. Le terme-clef est celui de *comunidad* (communauté) emprunté directement à la bonne gouvernance, jamais utilisé auparavant. Il est employé pour évoquer les limites spatiales du voisinage de chacun dont on se sent temporairement solidaire. Plutôt que de parler de *colonia irregular* (implantation irrégulière) pour qualifier leurs territoires urbains, édifiés de bric et de broc sous le regard intéressé et indulgent d'autorités dont ils forment la clientèle, les habitants s'auto-définissent comme une *comunidad* pour éviter la destruction des édifices ou pour obtenir des aides. Le terme finit par servir de potion magique. Tous les types de problèmes sont solubles dans la comunidad. Elle est présente partout et tous les interlocuteurs sont conscients qu'elle est uniformément adoptée pour résoudre les incompréhensions entre les différents niveaux d'intervention (organismes internationaux, pouvoirs locaux, populations). Il est curieux de constater qu'elle est d'autant plus invoquée que la solidité des liens communautaires dans l'aire de Mexico n'a jamais été aussi menacée [Mancebo F., 2004, « Quel futur pour Huitzilac, municipio rural aux portes de Mexico. Entre contraintes urbaines et environnementales », *La Géographie, Acta Geographica*, n° 1512, p. 47-65].

La gouvernance locale, en définissant liens entre acteurs et territoires, pose la question de l'impact des thématiques environnementales sur les prises de décision [Papadopoulos Y., 1995, *Complexité sociale et politiques publiques*, Paris, Éditions Montchrestien, coll. « Clés politiques »]. Dès lors, le dilemme de la gouvernance locale débouche sur celui du type de durabilité.

2. Durabilité forte, durabilité faible ?

Il convient de rappeler que le terme « développement » désigne originellement le processus de formation d'un être organisé à partir d'un germe. Dans cette perspective, le développement n'est jamais qu'un moment heureux dans un contexte essentiellement tragique, car au bout du chemin viennent la vieillesse et la mort. Transposé dans le domaine qui nous concerne, insister sur le moment du développement plutôt que sur sa finitude entretient la double espérance illusoire d'une amélioration continue et d'une vie infinie. Dès lors, si le développement durable est supposé respecter la capacité de renouvellement des ressources, au-delà des déclarations incantatoires et des normes édictées « à la louche », comment estimer concrètement cette capacité et l'associer à une hypothétique amélioration des conditions de vie ? La réponse à ces questions varie considérablement selon les arbitrages entre trois couples d'intérêts antagonistes :

– générations actuelles – générations futures, dans une recherche d'équité intergénérationnelle ;

– pays industrialisés – pays en développement, ou de manière plus ponctuelle entre espaces locaux très différenciés (atténuation des phénomènes de ségrégation urbaine), dans une recherche d'équité spatiale ;

– besoins des êtres humains – préservation des écosystèmes (ressources, habitats et espèces), dans une recherche de préservation des ressources et d'exploitation optimale du milieu.

Tableau 2. Durabilité forte et durabilité faible

	Idée-clé	Conséquence	Terme-clé	Enjeu du développement durable
Durabilité forte	Capital naturel et capital construit ne peuvent être substitués de manière parfaite.	Certaines actions humaines conduisent à des irréversibilités.	Capital naturel critique.	Préserver les stocks de capital naturel irremplaçable.
Durabilité faible	Capital naturel et capital construit sont parfaitement substituables.	La somme du capital naturel et du capital construit doit être maintenue constante.	Allocation optimale des ressources.	Trouver des solutions techniques dites « propres » pour remplacer produits et procédés, ou restaurer l'environnement.

Les stratégies d'acquisition des moyens d'existence par les sociétés influent donc sur les politiques de développement durable. Les choix sont déterminés par la combinaison des avoirs à disposition. Ils peuvent être regroupés en quatre « capitaux » selon une acception différente du terme en économie :

– le capital physique comprend les biens physiques qui supportent les moyens d'existence (systèmes de transports, biens agricoles, immobiliers, approvisionnement en eau, énergie, etc.) ;

– le capital financier représente ressources financières (stocks et influx réguliers d'argent) ;

– le capital humain inclut les compétences qui permettent aux personnes d'obtenir leurs moyens d'existences ;

– le capital social concerne les relations sociales formelles et informelles à partir desquelles les personnes peuvent bénéficier d'avantages divers.

On peut regrouper ces avoirs en distinguant entre capital naturel et capital construit. Le capital naturel désigne les intrants de ressources naturelles et bien environnementaux (réserves renouvelables et non renouvelables, espace où l'activité économique a lieu, écosystèmes). Le capital construit désigne les avoirs fabriqués et accumulés par les activités humaines. Ces catégories sont interdépendantes. Par exemple, si une personne a un accès fiable à la terre (capital naturel), elle bénéficie d'un meilleur accès au capital financier, car elle peut utiliser la terre à la fois à des fins productives et comme une garantie pour obtenir un prêt. Les arbitrages entre ces deux grandes catégories de capitaux font osciller le développement durable entre deux extrêmes : « durabilité forte » et « durabilité faible » (tableau 2).

2.1 Deux durabilités

Les tenants d'une durabilité faible (*weak sustainability*) considèrent que capital naturel et capital construit peuvent être substitués l'un à l'autre de manière quasi parfaite. Pour eux, si l'on veut que la durabilité ne soit pas que l'expression d'une émotion, la société doit trouver des outils pour préserver la capacité productive pour le futur [Solow R. M., 1993, « Sustainability: An Economist's Perspective », *Economics of the Environment*, New York, Norton and Company]. La durabilité faible se définit alors par la règle selon laquelle la somme du capital naturel et du capital construit doit être maintenue constante. Ce qui permet de remplacer du capital naturel par du capital construit. Cela revient à n'accorder aux biens que la valeur des services qu'ils rendent et non une valeur d'existence. Le progrès technologique est censé générer en permanence des solutions aux défis environnementaux posés par l'accroissement de la production de biens et de services. Si certaines ressources naturelles sont irremplaçables, la plupart n'ont de valeur que temporaire. Elles sont remplaçables par d'autres ressources qui produiront, à l'avenir, le même service. La destruction d'écosystèmes fragiles, l'envahissement urbain, la surexploitation de ressources non renouvelables, sont acceptables dès l'instant où des procédés de remplacement existent. Le rapport entre générations s'exprime ici comme dans une sorte de marché. Chaque génération a le droit de se favoriser un peu par rapport à la suivante et chaque génération peut faire un certain taux d'escompte par rapport à toutes les générations futures. Néanmoins, le taux d'escompte ne devrait pas être trop grand. Or, il n'existe pas de mécanisme permettant d'allouer efficacement des ressources dont on appréhende mal la valeur, et les marchés existants sont impuissants à juger de la valeur future de ces ressources. Les tenants d'une durabilité forte (*strong sustainability*) considèrent que capital naturel et capital construit ne peuvent être substitués de manière parfaite. Leur raisonnement emprunte explicitement au principe d'entropie qui décrit une situation d'irréversibilité thermodynamique : toute transformation énergétique s'accompagne d'une dégradation irrémédiable d'énergie sous forme de chaleur. Or, le capital construit est le plus souvent un agent de transformation (outil, travail, etc.) tandis que le capital naturel constitue la matière transformée. Dès lors, le capital construit ne peut se substituer au capital naturel de manière parfaite. Cela supposerait un flux circulaire de la matière-énergie permanent et sans perte, qui serait absurde. Au mieux, il est possible de diminuer le gaspillage en recyclant les ressources déjà utilisées. En examinant le monde depuis cette perspective, certaines actions humaines peuvent conduire à des irréversibilités graves. Selon les partisans de la durabilité forte, il existe un seuil, dit « capital naturel critique », au-delà duquel le capital naturel doit être préservé, car il fournit des biens et des services qui ne sont pas remplaçables par le capital construit [Daly H., 1998, « Reconciling Internal and External Policies for Sustainable Development », in Dragun A. K., Jacobson K. M., 1998, *Sustainability and Global Economic Policy*, Cheltenham, Elgar]. Il s'agit de maintenir l'échelle de l'activité humaine suffisamment basse pour ne pas déranger le fonctionnement naturel des systèmes de support vitaux. Les décisions doivent donc viser la préservation *a priori*. Afin de limiter la dégradation qualitative et quantitative du capital naturel, il faut restreindre les quantités de matière et d'énergie extraites de la biosphère. Cette limitation aux activités humaines modifierait le rythme de croissance des économies, doublement contraintes par les injonctions d'une utilisation efficace des ressources disponibles et d'une consommation faible.

2.2 Une rupture conceptuelle

La tentation est grande de considérer ces deux acceptions comme les deux pôles d'une même ligne directrice. Comme s'il existait un gradient de durabilité entre les deux. Les termes mêmes – « faible » et « forte » – contribuent à entretenir cette illusion. En réalité, il y a une véritable rupture conceptuelle entre les deux durabilités. Or, il n'est pas possible de se satisfaire de deux visions de la durabilité diamétralement opposées, sauf à rendre le développement durable définitivement inopérant. Il n'est pas non plus possible de trancher entre les deux. La durabilité faible est insuffisante parce qu'elle n'attribue pas de valeur intrinsèque aux biens environnementaux, qui ne valent que par leur contribution à la production, alors qu'en réalité ils ont une valeur en soi, ne serait-ce que parce qu'une partie de l'humanité l'apprécie et préfère qu'il soit protégé. Mais, la durabilité forte recèle aussi des contradictions profondes, car l'environnement est dynamique et sa transformation par l'homme, inévitable. Certaines ressources non renouvelables seront inutiles demain.

Il convient de déterminer quels sont leurs éléments communs aux deux approches. Un premier examen met en évidence quatre thèmes communs :

– Les ressources naturelles ne peuvent être utilisées ou dégradées à un rythme tel que leur disponibilité se raréfie de manière significative pour les générations futures.

– Les déchets de l'activité humaine ne peuvent pas s'accumuler dans des quantités qui compromettraient le bon usage futur de la biosphère.

– Il est impossible que le revenu de chacun soit au-dessus de la moyenne mondiale. Dès lors, il est également impossible que la croissance permette à chacun d'augmenter son revenu.

– Les modèles de croissance et de développement ne peuvent continuer à produire des biens et des services entretenant des situations inéquitables entre les espaces développés et les autres, quelle que soit l'échelle considérée.

À partir de cette base, il est possible de faire dialoguer les deux visions dans les projets de développement durable. Tout d'abord, les divergences entre version faible et forte de la durabilité ne portent pas tant sur la vision de l'avenir de l'humanité, sur laquelle il y a consensus, que sur le degré de confiance accordé à l'évolution des techniques. En outre, dans les deux cas, l'environnement est perçu comme un frein à cet avenir. Dans l'approche de la durabilité faible, l'environnement est en premier lieu une arène de transformation et d'exploitation continue, où l'épuisement du stock ne pose de problèmes qu'en l'absence de substituts. Dans la durabilité forte, les limites de l'environnement agissent comme des invariants auxquels doivent être soumises les autres préoccupations humaines. Il y a un troisième point commun donnant lieu à des lectures différentes : le renouvellement du vieux thème du « progrès ». Les expériences du passé ne sont plus mises de côté, mais intégrées aux scénarios du futur. Cette idée se retrouve dans les deux approches, mais sa nature diverge entre durabilité faible et forte. Dans la durabilité forte, le progrès s'exprime par un déploiement des potentialités humaines plutôt que par un accroissement matériel. Dans la durabilité faible, il se concrétise dans l'idée que l'innovation technologique permettra de créer les conditions de substitution parfaite entre capital naturel et construit.

2.3 Compromis entre durabilité forte et durabilité faible : écolabels et Quotas individuels transférables

On peut voir le questionnement sur la durabilité prendre corps dans les procédures de décisions publiques. Ainsi, pour un même souci porté aux stocks de ressources naturelles, deux dispositifs existent conjointement : les écolabels et les Quotas individuels transférables (QIT). Ils relèvent d'un compromis entre durabilité forte et durabilité faible.

Les écolabels tentent de concilier développement durable et globalisation des économies. Ils ont pour objet de garantir l'aptitude à l'usage des produits concernés et la limitation de leurs impacts sur l'environnement. Pour cela, ils définissent des critères d'exigence par catégorie de produits, à partir de la prise en compte des impacts environnementaux pour l'ensemble de leur cycle de vie, de l'extraction des matières premières au traitement des produits en fin d'existence. La détermination de ces critères est le résultat d'une négociation entre producteurs, distributeurs, associations de consommateurs et de protection de l'environnement. L'écolabel est accordé par un organisme certificateur indépendant. Son attribution relève d'une démarche volontaire. La conservation et la gestion des ressources sont confiées ici aux initiatives d'acteurs privés et aux choix des consommateurs. On peut citer les éco-emballages comme modèle d'écolabel. En vigueur depuis janvier 1993, ils permettent aux industriels vendant de financer le recyclage et la valorisation des déchets ménagers d'emballage. En contrepartie d'une taxe, l'industriel peut apposer sur certains de ses produits un logo dit Point Vert, qui peut améliorer son image auprès de consommateurs soucieux de l'environnement et favoriser leur comportement d'achat.

Les écolabels présentent deux inconvénients. En premier lieu, leur caractère volontaire limite le champ d'application à ceux qui les acceptent. En second lieu, il existe un risque d'instrumentalisation. Par exemple, dans le domaine de la pêche et des ressources halieutiques, l'élaboration du label Dolfin Safe (thon pêché en minimisant les prises accidentelles de dauphins) aux États-Unis a largement privilégié certains acteurs, telles les firmes de transformation, en faisant supporter des coûts d'ajustements considérables aux pêcheurs. Plusieurs expériences d'écocertification ont révélées le caractère potentiellement discriminant de l'attribution des écolabels, au détriment de certaines filières et pays. Ainsi, en est-il de l'initiative de la firme Unilever et du WWF de créer un organisme de délivrance de labels de pêche durable, le Marine Stewardship Council (www.msc. org/). L'opération est accueillie de façon très réservée par les pays en développement qui craignent une exclusion de leurs pêcheries.

Le dispositif des Quotas individuels transférables (QIT), applicable à nombre de ressources, trouve son expression la plus aboutie dans la pêche. Longtemps, le poisson a été supposé n'appartenir à personne. On pensait la ressource intarissable. Las ! On constate aujourd'hui un syndrome de surexploitation : chute du stock halieutique, disparition d'espèces, désorganisation d'écosystèmes fragiles, dégradation de la qualité des produits pêchés. C'est dans ce contexte qu'apparaissent, en 1991, les QIT. L'idée est de réglementer l'accès à la ressource pour optimiser l'exploitation du stock en le répartissant entre pêcheurs. Le principe est simple : fixation annuelle de totaux autorisés de captures par espèces et par zone de pêche ; puis distribution entre les États concernés qui attribuent alors des QIT, qui sont autant de « droits à pêcher », à leurs pêcheurs. Deux critères peuvent présider à la répartition des QIT. Elle peut se faire au prorata des hommes embarqués à bord, permettant ainsi de maintenir certains emplois dans la pêche. Ou bien elle peut se faire sur la base des performances de pêche des années précédentes. Une fois en possession de leurs droits, les pêcheurs peuvent étaler leurs captures sur l'année, vendre ou louer leurs QIT. C'est en cela qu'ils sont transférables. La vente d'une fraction de ces quotas constitue une garantie de ressources en cas d'arrêt temporaire d'activité, voire un capital en cas d'arrêt définitif d'activité.

Les QIT créent une forme d'appropriation privée par les pêcheurs de la ressource disponible. En offrant aux plus efficaces la possibilité d'acheter des droits de pêche auprès des moins performants, les QIT sont une incitation à respecter les quotas. En effet, lorsque tel n'est pas le cas, les QIT perdent leur valeur, car il n'y a aucun intérêt à en acheter. Du coup, le dispositif engendre un sentiment de coresponsabilité et rend la fraude moins tolérée par les professionnels. Mais ils ont un effet pervers. La transférabilité tend à concentrer les quotas au profit des flottes les plus puissantes, renforçant des oligopoles déjà installées. De plus, l'efficacité des QIT suppose des évaluations fiables des stocks de ressources et une stratégie des flottes de pêche qui coïncide avec leur exploitation durable. S'il est possible de trouver rapidement des alternatives aussi rentables, voire plus rentables, les acheteurs de quotas seront tentés d'épuiser la rente halieutique puis de poursuivre ailleurs l'exploitation des ressources ou de se tourner vers l'aquaculture. Du coup, ceux qui n'ont pas d'alternatives rentables, comme les pêcheries artisanales qui n'ont pas les moyens d'acheter des quotas dans d'autres zones, dénoncent le dispositif.

Écolabels et QIT montrent les limites de solutions hybrides combinant durabilité forte et faible. Le choix entre les deux formes de durabilité se fonde sur l'idée que nous sommes incapables d'optimiser l'usage des ressources pour les générations futures par manque d'information. Dès lors, le choix de stratégies « sans regret » doit se faire au cas par cas. Sur le terrain, ce capital naturel s'exprime concrètement à travers ce qu'il est convenu de nommer les ressources, épuisables par essence. En quoi un objet de notre environnement peut-il, ou non, être qualifié de ressource ? Voici la question à laquelle il faut répondre maintenant.

3. Des ressources « naturelles », entre environnement et qualité de vie

S'il est un terme possédant le singulier privilège de recouvrir, sous les apparences du consensus, les oppositions les plus tranchées, c'est bien celui de « naturel ». Étymologiquement, nature vient de *natura* (« action de faire naître », de *nasci*, « naître »). Des significations fort différentes ont dérivé de ce sens originel plutôt général. Dans le domaine du développement durable, deux acceptions dominent. Elles s'opposent entre elles, tout en se confondant dans les discours et les pratiques :

– Dans un premier sens, il juxtapose l'idée de nature comme puissance créatrice et celle de nature comme objet de contemplation. Fiction théorique d'un état idéal préliminaire à la réunion des hommes en société. Ici, la « nature », opposée à l'« art » et à la « technique », désigne le monde tant qu'il n'a pas été transformé par l'homme.

– Dans un second sens, la nature désigne l'ensemble du monde matériel, perçu parce qu'organisé par la pensée. La nature est alors le champ qui s'étend devant la science et sur lequel l'ingéniosité de l'homme s'exerce. En ce sens, la nature n'existe que transformé par l'homme et le regard qu'il y porte.

Dans le monde tel que nous le connaissons, il n'existe pas d'espaces vierges d'anthropisation. Le terme de nature désigne donc des espaces transformés par l'homme et promus par lui, après-coup, au statut d'espaces naturels. Les parcs nationaux illustrent les ambiguïtés de ce statut. Il existe ainsi, en France, trois parcs nationaux dans les hautes vallées alpines : le parc de la Vanoise, celui des Écrins et celui du Mercantour. Il s'agit dans les trois cas d'espaces conçus explicitement pour préserver un patrimoine naturel. L'expression est heureuse qui associe la nature à un patrimoine incluant les paysages dans toutes leurs acceptions (visuelles, sonores et olfactives), les héritages culturels de l'agropastoralisme et le bâti « traditionnel » ou revendiqué comme tel. La dimension subjective de cette nature est donc affirmée d'entrée de jeu.

D'ailleurs, selon que l'on s'adresse aux acteurs locaux, à la population résidente ou aux visiteurs, cette nature n'est pas la même. Pour les visiteurs, essentiellement citadins, la demande est double : « créer » de la nature pour assouvir les désirs urbains d'espaces spectaculaires sortant du quotidien ; maintenir un paysage ouvert en accord avec les représentations idéalisées de la haute montagne alpine avec l'obsession de maintenir une image rurale, qui se traduit par la rénovation des chalets d'alpage alors que leur support socio-économique n'existe plus. Ces deux injonctions, qui imprègnent la gestion de ces parcs vivant du tourisme, sont autant de représentations de la nature dans les sociétés urbaines. Poussée à l'extrême, cette perspective prend la forme d'une remise en état d'espaces aménagés puis abandonnés, où l'on redonne un caractère apparemment naturel à ce qui ne l'est plus : sorte de « subterfuge de l'originel » [Laslaz L., 2004, *Vanoise : 40 ans de Parc national ; bilan et perspectives*, Paris, L'Harmattan, coll. « Géographies en Liberté »]. Rappelons que, dans la littérature montagnarde et dans la culture montagnarde, la haute montagne est moins bucolique qu'opprimante, dangereuse, aux hivers interminables [Ramuz C.-F., 1925, *La grande peur dans la montagne*, Paris, Grasset]. Derrière la nature clamée se cache donc le type d'humanisation que chacun souhaite donner à la montagne.

Cela pose la question de la nature comme construction sociale [Bertrand G., 1991, « La nature en géographie : un paradigme d'interface », *Géodoc*, n° 34]. Même s'il existe des systèmes physiques et biologiques indépendants de l'homme, au sens où leur existence sans l'homme est envisageable, leur pensée, donc leur conception, est intégralement œuvre humaine. Ils peuvent à première vue ne pas sembler concernés par la présence des sociétés, mais insèrent l'être humain car il participe du système physique et vivant. Les sociétés apparaissent bel et bien dans les logiques qui sous-tendent la possibilité de penser ces systèmes. C'est en soi considérable : discourir sur une bactérie c'est déjà parler de la société et de ses rapports aux inclusives biologiques. La nature n'environne pas la société, elle est fabriquée et placée en son centre. Il n'y a rien de plus artificiel. Chaque société construit ses états de nature, compromis dans la lecture du monde qui fait transitoirement office de seul monde vrai et acceptable.

3.1 Le choix des ressources

Tous les objets en interaction dans les écosystèmes ne sont pas présents dans la nature que s'en construit une société à tel ou tel moment de son histoire. D'abord, parce que la connaissance que l'on a de l'environnement n'est pas stable : la nature médiévale n'était pas la même que la nôtre, ne serait-ce que parce qu'on ne connaissait pas la dynamique de l'atmosphère où les mécanismes de la reproduction. Ensuite parce que chaque société sélectionne en permanence entre ce qui est naturel et ce qui ne l'est pas. Qu'y a-t-il de plus naturel au sens propre du terme que l'uranium, élément chimique présent sur terre bien avant l'homme. Pourtant, essayez de soutenir face à un auditoire, l'idée selon laquelle l'énergie nucléaire serait « naturelle ».

Les objets biologiques ou physiques ne sont socialisés en ressources que lorsque le compromis du moment s'y prête. Les ressources manifestent donc le mode l'appropriation de l'environnement et la manière dont il est intégré en retour par les sociétés. Il convient de se méfier des discours qui consistent à « réparer la nature », « restaurer la nature », « remédier à la nature », voire « recréer la nature ». Ainsi, quand on parle de restaurer la forêt méditerranéenne, de quelle forêt méditerranéenne parle-t-on ? La forêt tropicale qui existait-il y a encore quelques milliers d'années, la forêt tempérée récente ? En Espagne, les écologistes politiques ont voulu préserver les garrigues du siècle dernier, qui représentent pourtant un stade de dégradation forestière fort avancée.

La ressource « naturelle » s'insère dans un monde organisé par la pensée. En quoi telle ou telle technique – stérilisation ou sélection des micro-organismes utiles, hybridations, OGM, biotechnologies, lutte biologique, par exemple – est-elle naturelle ou non ? De sa validation comme « naturelle » dépendra sa légitimation puis son insertion dans le champ des pratiques du développement.

Dès lors, la notion de développement durable ne saurait être restreinte à une amélioration des conditions environnementales, estimée à partir de critères écosystémiques. Il convient de différencier qualité de vie et qualité de l'environnement. En première approche, la qualité de vie est fondée sur une vision utilitariste où l'expérience immédiate désigne ce qui est utile donc « bon » : sensibilité environnementale limitée à l'univers de la vie quotidienne et des nuisances visibles. L'attitude des populations européennes vis-à-vis de leurs déchets en est révélatrice, comme l'illustre le comportement des habitants vis-à-vis des ordures ménagères à Maurepas, dans les Yvelines. Une étude montre que les habitants n'établissent pas vraiment de lien entre leur consommation, leur production d'ordures et l'état de leur environnement immédiat [Jolivet P., 1999, « Le consommateur et le citoyen : enquête sur le comportement de rejet de déchets des ménages », Journées Économie de l'Environnement, Strasbourg]. Alors que les modalités de collecte sont assez bien connues, les pratiques d'apport volontaire aux conteneurs sont toujours vécues comme une corvée et ne sont pas souvent respectées : « (les conteneurs) ne sont pas à ma porte, il faut y aller, je prends ma voiture ». Les habitants estiment paradoxalement subir les déchets plus que les produire. Du fait, l'intérêt porte uniquement sur l'environnement proche et visible : ne pas voir « les plastiques trainer, les bouteilles de verre ». Les déchets sont « inesthétiques », « c'est des ordures, faut les enlever les ordures, on ne peut pas garder ça ». Préserver l'environnement consiste surtout à ne pas être entouré de déchets. Ce qui renvoie au statut du déchet dans la société. Ordures et désordre vont de pair. Un des enquêtés affirme : « je traverse une zone de terrain remplie d'ordures, à ciel ouvert, c'est vraiment la pagaille ». Ce qu'ils deviennent ensuite les indiffère complètement : « tant qu'ils ne le déversent pas n'importe où, dans la mer, ça me laisse un peu indifférent, tant qu'ils font bien le tri, ce que je n'aimerais pas c'est qu'ils le déversent dans les forêts, ou dans l'eau ». Tout se passe comme s'il suffisait de faire disparaître poubelles et ordures pour que la pollution disparaisse avec eux. Éloge de la propreté et de l'ordre comme condition du bonheur, au détriment d'une action sur la pollution cachée et ses conséquences diffuses.

On retrouve cette relation, où la qualité de vie est associée à l'ordre et à la propreté, opposée au désordre stigmatisé comme « contre-naturel », dans le véritable culte voué au gazon aux États-Unis. Là, certaines communes n'hésitent pas à consacrer 70 % de leurs budgets à l'arrosage et à l'entretien de leurs gazons. La pelouse y désigne le pouvoir. Elle ceint les édifices gouvernementaux, religieux et culturels. Le gazon bien tenu est progressivement devenu, de manière consensuelle, un élément essentiel de qualité de vie en tant que signe d'appartenance communautaire ; jusqu'à l'excès. Il y a en Amérique 65 millions d'hectares de pelouse, soit une superficie supérieure à celle occupée par toute autre culture du pays, blé et maïs compris. Une exposition-recherche lui a été consacrée par le Centre Canadien d'Architecture de Montréal. Elle tentait de décortiquer l'obsession du gazon, « frontière incertaine entre espace public et privé, entre paysage et bâti, entre rêve et cauchemar » [CCA, 1998, *The American Lawn : Surface of Everyday Life*, Montréal, Canadian Centre for Architecture]. Près d'une haie délimitant le centre de conférence une notation discrète indiquait : « Chris Simes de SprayTech, a estimé le nombre de brins d'herbe de cette parcelle : 325 293 680. » Car la pelouse est ici bien autre chose que de l'herbe. Autour du gazon, la socialisation se construit. Avec le temps, la tonte du gazon est devenue un important devoir civique. Comme le passage de l'aspirateur ou le rasage, autres mesures civilisatrices d'ordre plus privé. Maintenu à cinq centimètres de hauteur, le tapis de verdure devient vite le terrain d'entente de voisins sachant respecter cette convention tacite ; pas de clôture ni de barrière. La pelouse est signe d'appartenance à une communauté et à ses normes. Par tant, elle est aussi signe d'exclusion : une maison à la pelouse pelée est un « territoire étranger » et signifie que l'homme qui l'habite est exclu ou s'exclut lui-même.

Dès lors, il importe de prendre en compte la profondeur du lien qui unit l'homme à son environnement immédiat. La négligence de cette dimension de proximité a eu, dans le passé, des conséquences tragiques. Hall évoque ainsi le chagrin et du profond état dépressif qui se sont emparés des habitants du West End de Boston, relogés ailleurs après la destruction de leur quartier conformément à un programme de rénovation [Hall E. T., 1966, *The Hidden Dimension*, New York, Doubleday and Co]. Ce n'était pas tant la perte de leur ancien lieu de vie qui les rendait si malheureux, mais celle de l'ensemble des relations complexes qui constituait un véritable style de vie. Leur univers avait été détruit.

3.2 Qualité de l'environnement ou qualité de vie

Un cadre réglementaire existe depuis longtemps dans l'agglomération parisienne pour préserver l'environnement intra-muros avec des prescriptions contraignantes dans le domaine des pollutions majeures. L'objectif implicite au début du XXe siècle était de localiser les industries polluantes au nord et au nord-est de Paris, pour épargner les banlieues résidentielles et la capitale par le jeu des vents dominants. Les entreprises polluantes se sont alors concentrées au Nord et à l'Est. Par un glissement de sens, les espaces de relégation des entreprises sont devenus les espaces de relégation sociale, les ouvriers s'installant près de leur lieu de travail.

À la fin du XXe siècle, le déclin progressif des industries lourdes aurait dû modifier la distribution des différents espaces de relégation d'Île-de-France. Il n'en a rien été. Nombre d'espaces de relégation persistent à se mouler dans les traces des anciennes zones industrielles. Au nord de Paris, Saint-Denis a bien de la peine à s'extraire d'une fatalité des nuisances. Installations classées, grandes infrastructures, équipements logistiques s'y sont succédé, avec une surabondance de logements sociaux associant contraintes environnementales et difficultés sociales. La mémoire collective continue d'identifier ces espaces par ces usages anciens qui les rendent peu attractifs. Cette situation ne concerne pas que la région parisienne. En Belgique, les centres urbains et les communes constituant l'ancien axe industriel wallon cumulent les handicaps sociaux et environnementaux. Charleroi, Liège, La Louvière, Seraing ou Châtelet sont en situation particulièrement défavorable [Capron C., Eggerickx Th., Hermia J.-P., Oris M., Poulain M., Van der Straten E., 2002, *Leviers d'une politique de développement durable : démographie, aménagement du territoire et développement durable de la société belge*, Programme SSTC, Rapport du contrat de recherche n° HL/DD/018, Liège].

Il convient de substituer aux variables physico-chimiques ou biologiques supposées refléter le « bon » fonctionnement des écosystèmes, des critères reflétant les conditions de vie et les attentes des populations. L'environnement, ce sont les alentours auxquels il faut s'adapter comme à un voisinage plus ou moins bruyant. N'en déplaise aux thuriféraires de l'écologisme, un environnement pollué peut constituer un milieu où il fait bon vivre. À l'inverse, un environnement à l'air pur et à l'eau propre peut être tout à fait invivable comme en témoignent certains lotissements périurbains et grands ensembles balayés par les vents.

L'hiatus entre le point de vue des populations et celui des collectivités locales est souvent criant. Très fréquemment, les élus perçoivent la qualité de vie à travers des catégories esthétiques alors que les populations l'envisagent plutôt en fonction du bien-être ou du mal-être ressenti. C'est à travers les éléments du quotidien (stress, fatigue ou au contraire tranquillité et convivialité) qu'elle est appréciée. Dès lors, réalisations paysagères, création de parcs ou d'espaces verts de proximité suscitent des réactions ambivalentes chez les habitants. Une étude a tenté d'évaluer l'écart entre les sens que les élus et les habitants de trois sites du Val-de-Marne et de l'Essonne donnaient aux termes « cadre de vie » et « bien-être » [Cadiou N., Pissaro B., 1999, *Cadre de vie et bien-être : des perceptions des habitants à celles des élus. Étude dans trois communes du Val-de-Marne*, Paris, CEPAGE-FIPE Santé]. Le décalage est permanent. Ainsi, dans le quartier de la Lutèce à Valenton, un espace vert, la Plage Bleue, d'une surface de plus de 40 hectares, a été implantée à proximité immédiate d'un quartier d'habitat collectif. La satisfaction est loin d'être la règle. La population de la Lutèce vit difficilement son isolement, séparée qu'elle est du tissu urbain traditionnel par ce parc départemental. Au lieu de vivre le parc comme un lieu d'ouverture et d'échanges, ce qui était l'idée initiale des aménageurs, les résidents se sentent dépossédés d'anciennes friches, « terrain d'aventure », notamment les jeunes. Ils ont le sentiment que la cité s'enferme sur elle-même. Cela montre bien qu'une augmentation unilatérale de surfaces vertes aménagées, n'entraîne pas automatiquement un surcroît de bien-être. On peut même, surtout dans les zones sensibles comme la Lutèce, obtenir l'effet inverse : accroissement du sentiment de rejet dû à un effet de coupure. De tels malentendus attisent la méfiance des populations à l'égard des élus et des professionnels de l'aménagement.

Il importe de prendre réellement en compte la manière dont les habitants s'approprient l'espace, pour tenir compte de la qualité de vie. S'il est bien des espaces où cet aspect est essentiel, ce sont bien les espaces périurbains. Ils conservent en abondance des espaces ruraux, souvent agricoles. Là se rencontrent, pour s'affronter ou se combiner, les représentations collectives du monde rural et du monde urbain. Le tissu périurbain est très exposé aux usages citadins, licites comme la promenade ou illicites comme la décharge sauvage ou le rodéo automobile. L'agriculture périurbaine possède des caractéristiques singulières. Cette agriculture, qui connaît des difficultés provenant tant des nuisances et pollutions urbaines que des surcoûts de transport liés aux encombrements et à l'éloignement des infrastructures agricoles, se refinance grâce à la plus-value foncière dégagée par la vente de terrains pour la croissance urbaine. Les cultivateurs périurbains tirent ainsi plus de profit de l'avancée de la frange urbaine que du produit de leurs champs. Ces agriculteurs bien particuliers n'éprouvent pas trop de mal à se « déraciner », quant aux acteurs politiques ils vantent aujourd'hui les mérites d'une agriculture dont ils stigmatiseront demain les nuisances dès lors que l'urbanisation sera bien avancée. Ils donnent tous deux un discours de qualification, qui n'est qu'une forme d'apprivoisement de la réalité parmi d'autres. Certes ce discours est une fiction, mais chaque discours est une fiction et chaque fiction est légitime dans la mesure où elle trace les contours de l'environnement et de son appropriation par les sociétés.

Les seules limites à l'absorption urbaine sont une inconstructibilité manifeste ou l'intervention d'un pouvoir régulateur. Mais ces interventions, autrefois centrées sur la préservation des biens rares (terroirs spécifiques, biotopes remarquables), se sont considérablement élargies ces trente dernières années. Les acteurs locaux tentent d'améliorer la qualité de vie en investissant les espaces non-construits de missions nouvelles correspondant en apparence à une préoccupation de développement durable. Une des actions possibles consiste à renforcer la résistance des espaces ruraux en pérennisant les espaces agricoles et forestiers que le mode traditionnel de production de la ville (progression le long de grands axes, jonctions périphériques) enclave [Parsons K. C., 2002, « From the Garden City to Green Cities: The Legacy of Ebenezer Howard », *Center Books on Contemporary Landscape Design*, Baltimore, John Hopkins University Press].

3.3 L'appropriation territoriale, condition du succès

Le développement durable ne peut contribuer à améliorer simultanément environnement et qualité de vie qu'à travers l'appropriation que les sociétés font des espaces qu'elles habitent. Cela est particulièrement vrai lorsque des sociétés locales imposent, à rebrousse-poil des partis-pris institutionnels, des projets en première instance absurdes ou inadaptés, mais chargés d'une forte valeur culturelle. Paradoxalement, de tels projets peuvent aboutir à des politiques relevant réellement du développement durable, comme le cas des vignobles du Québec permet de le mettre en évidence.

Au Québec, des citadins (puériculteurs, infirmiers, ingénieurs, plombiers, administrateurs, etc.) ont investi l'espace rural proche de Montréal, modifiant les pratiques culturales traditionnelles au bénéfice d'une production parfaitement inadaptée au sol et au climat, mais à forte valeur identitaire : le vignoble (www. cybergeo.eu/index3747.html). On recensait trente-trois vignobles commerciaux en activité au début de l'an 2000. Leur exploitation a souvent commencé comme un passe-temps. Pour 70 % d'entre eux, ils ont d'abord acheté une terre pour leur résidence secondaire avant d'envisager d'y implanter une vigne. La géographie des vignobles recoupe celle des espaces de villégiature proche des urbains de Québec ou de Montréal, surtout la Montérégie et l'ouest de l'Estrie. Les motivations de ces nouveaux viticulteurs sont de plusieurs ordres : un intérêt pour le vin ; le désir de renouer avec l'histoire, le vin constituant un lien privilégié avec l'héritage français ; une marque d'appartenance communautaire qui s'inscrit dans le paysage. Ces exploitations sont progressivement devenues des objets culturels. Les institutions locales ont été contraintes d'accepter, après-coup, le phénomène puis l'intégrer à leur politique. Alors que la Régie des alcools du Québec (RAQ) qui contrôle la vente des produits alcoolisés était initialement hostile à ces producteurs locaux, et que la Société des alcools du Québec (SAC), société d'État qui distribue les vins, a longtemps refusé d'assurer la mise en marché de la production québécoise, les positions ont changé. D'une part, le gouvernement québécois, par l'intermédiaire de la RAQ, a accordé une défiscalisation des ventes sur place aux exploitants.

Il apparaît que non seulement l'être humain transforme les dynamiques des écosystèmes qu'il habite en utilisant leurs ressources biotiques (vivantes) et abiotiques (spatiales, physico-chimiques ou liées au support), mais encore qu'il les dote d'une histoire et les investit de représentations. Priorités, référents et repères sont redéfinis en permanence. L'enjeu est de contrôler les échanges et l'accès aux ressources matérielles ou symboliques, d'imposer un ordre à l'espace.

Les différents objets de l'environnement ne peuvent donc exister comme ressources que si les sociétés possèdent les connaissances et élaborent des usages en faisant des ressources. L'inventaire de ces ressources est évolutif. Un changement d'usage, un rapport nouveau à la matière, induit l'apparition de nouvelles ressources, la disparition d'autres devenues inutiles ainsi que des inflexions. Or, nombre de pratiques se réclamant du développement durable se fondent sur une sacralisation de ressources décrétées « naturelles » : reconstitution d'écosystèmes (marais, lit majeur des fleuves, etc.) ou réintroduction d'espèces (loup, ours, etc.). En arrière-plan se trouve le présupposé selon lequel les sociétés traditionnelles respectent les équilibres écosystémiques. Évidemment, rien n'est plus faux. De nombreux exemples ont déjà permis de constater comment ce parti-pris entraîne des pratiques relevant d'une nouvelle forme de planification centralisatrice qui n'a rien à envier à celle dénoncée comme « dénaturant le milieu » par ses zélateurs.

Du « bon » usage
des ressources

Derrière la question de la qualité de vie se cache un enjeu essentiel pour le développement durable : spécifier comment les êtres humains caractérisent puis investissent leur environnement, et comment ils luttent entre eux pour le contrôle de ses ressources. C'est une invitation à une conception transactionnelle de la relation de l'homme avec le monde. Il importe, pour cela, d'identifier la notion même d'usage.

I. Usages, lieux et pratiques

Les objets de l'environnement ne deviennent ressources qu'après avoir été affectés de valeurs et être devenus susceptibles d'usages. Ces usages et ces valeurs sont associés à des lieux. Cela oblige à interroger la notion de lieu.

I.I Lieu(x)

Le lieu (*locus*) est longtemps resté, dans le langage courant, un synonyme facile et flou des termes de région, de territoire, d'espace, de site. Ce n'est que dans la seconde moitié du XXᵉ siècle que la notion a donné naissance à une littérature spécifique. Il convient de s'arrêter aux travaux d'Augustin Berque. Selon lui, le lieu est écartelé entre une volonté d'abstraction qui ramène à l'« expérience intérieure » et la prise en compte de la réalité sensible du monde [Berque A., 1997, « Géogrammes », *L'Espace géographique*, vol. 28, n° 4, p. 320-326]. Il différencie les lieux en *chôra* (terme emprunté au *Timée* de Platon) et *topos* (terme emprunté au quatrième livre de la *Physique* d'Aristote). Pour Platon, l'être relatif, image imparfaite de l'être absolu, est soumis au devenir et ne peut exister sans un lieu qui est la *chôra*. Cette *chôra* peut être désignée par différentes expressions : mère, nourrice ou porte-empreinte (*ekmageion*). De ce fait, il existe un lien indissoluble pour le lieu-*chôra* entre le lieu et les choses qui s'y trouvent. À l'inverse, le *topos* aristotélicien est, littéralement, un « récipient immobile » qui limite les choses (*aggeion ametakinêton*). Dans cette deuxième perspective, chose et lieu peuvent être dissociés : si la chose change de lieu, elle devient autre.

Les conceptions actuelles du lieu ressortent de ces deux types. Le lieu peut être défini en lui-même, indépendamment de ce qui s'y trouve. Tel est le lieu défini par des coordonnées cartésiennes : il relève de la géométrie et répond au *topos*. Mais le lieu peut aussi dépendre des êtres et des choses qui le traversent y résident et le qualifient. Tel le cas de la place publique. Celle conception relationnelle relève de la *chôra* ; ce en quoi ce lieu se distingue d'une simple géométrie. Les choses possèdent alors une identité physique strictement localisable dans les limites de leurs *topos*. Mais elles existent aussi par l'accumulation, dans le temps, de valeurs et de significations dont elles sont investies dans les lieux où elles se trouvent et qui constituent leur *chôra*. Ainsi, le tracé des villes sumériennes révèle une mise en tension entre les exigences d'une géométrie sacrée et les contingences de la topographie profane. *Chôra*, on peut le considérer comme un espace spécifique, à l'intérieur duquel la notion de distance perd sa signification au profit de la notion de coprésence ou mieux de cospatialité. En tant que *Topos*, le lieu pose la question de la mesure de la distance. *Topos* et *chôra* tout à la fois, un lieu est tout le contraire d'un point physique où il ne peut y avoir qu'une chose, tout le contraire également d'un point mathématique où il ne peut y en avoir aucune.

Vu de près, le lieu bascule en espace, et vu de loin l'espace bascule en lieu. C'est une question d'échelle. Un square est un lieu à l'échelle de la ville et un espace pour les pigeons qui y résident. C'est cette réalité que traduit parfaitement le terme anglais de *place*. Dans une telle acception, il y a lieu quand au moins deux réalités sont présentes dans une étendue dont la métrique a été abolie.

Un lieu constitue donc l'entité de base de la vie sociale, structurée en usages et identifiable par des fonctionnements collectifs. Un lieu la nuit n'est pas le même que le jour, entre autres par « ce qui s'y passe ». Les sociétés, les communautés définissent des lieux dans lesquels ils vivent, travaillent ou sortent : la maison, la ville, le lieu de travail, le lieu de vacances. Il s'agit *in fine* des objets centraux du développement durable, puisque celui-ci n'a de sens qu'au regard des hommes qui habitent le monde.

L'expérience du lieu présente une grande ambiguïté, puisqu'ici « on » est à la fois dans le lieu, habité, et en dehors de lui qui sert alors de repère. Les lieux se caractérisent, en effet, par le caractère sensible de leurs limites. Ce problème de la limite configurante est important, car c'est par là que le lieu existe. Tel est le cas des appellations d'origine contrôlée (AOC), qui revendiquent une originalité de lieu de production associée à leur localisation spatiale afin de se différencier et de donner une image de qualité permettant de vendre plus cher leurs produits. Or, de quoi s'agit-il lors de la délimitation d'une telle appellation, sinon du bornage d'espaces transformés *ipso facto* en lieux. Une fois circonscrites, leurs limites génèrent typiquement des phénomènes conflictuels. Il n'est que de relever les querelles incessantes entre producteurs « aux limites » pour acquérir, conserver ou perdre l'appellation une fois celle-ci accordée.

Si le bornage constitue une action essentielle de tout acteur souhaitant instituer un lieu, il ne s'agit jamais d'une opération simple. Les abords d'une gare peuvent être limités à un parvis, garni de stations de taxis et d'autobus et de parkings. Mais pourquoi ne pas l'étendre aux cafés, aux restaurants et aux hôtels qui doivent leur existence à la gare et au-delà, au quartier de la gare qui possède une tonalité particulière. Cela signifie que le lieu ne saurait s'identifier au local, entendu comme plus petite échelle d'existence d'une société. Il peut se manifester à n'importe quelle échelle : on peut toujours trouver un principe d'échelle qui fasse d'un espace un lieu, et à l'inverse d'un lieu un espace [Mancebo F., 1997, « Conflits, bruits et captation des flux : clés de l'organisation spatiale cerdane », *Flux*, n° 30, p. 30-42].

1.2 Usages et expériences du lieu et de l'espace

L'expérience individuelle ou collective d'un lieu permet et limite les actions. D'où la question : que deviennent les vides de l'espace lorsque celui-ci est appréhendé comme lieu ? Ce sont ces vides qui définissent les conditions de cospatialité du lieu, car ils sont le support des besoins, aspirations et représentations collectives de ceux qui y circulent et s'y rencontrent. Lorsqu'à l'inverse le lieu bascule en espace, les vides deviennent les supports d'une distance qui oriente l'espace par rapport aux ressources matérielles et immatérielles qu'elle relie. L'étude de l'inscription spatiale des accès publics à Internet permet d'en comprendre les modalités.

Les accès publics à Internet tiennent à la fois du lieu et de l'espace, en tant qu'espaces publics, précisément. De plus, au regard de l'inégalité dans l'accès à l'information exprimée sommairement par l'idée de fossé ou de fracture numérique (*digital gap*), ils relèvent pleinement de la préoccupation d'équité spatiale propre au développement durable. L'idée sous-jacente est que l'accès aux Technologies de l'information et de la communication (TIC) et leur adoption tous azimuts dans les domaines de l'économie, la santé, l'éducation, sont déterminants de la prospérité et du bien-être collectif (www.unesco.org/webworld/observatory/index.shtml).

Selon la Déclaration du Millénaire des Nations unies, il importe de combler ce fossé numérique afin que chacun puisse tirer profit des réseaux planétaires d'échanges d'informations (www.un.org/french/millenaire). On peut questionner la pertinence d'une telle position de principe : l'accès inégal à Internet est bien une fracture et non un retard à combler. Elle est le reflet et le produit du problème, infiniment plus vaste, des inégalités économiques et sociales croissantes à travers le monde. En conséquence, la théorie du rattrapage est une illusion, car toute source d'inégalité technologique est immédiatement remplacée par une autre dès qu'elle s'atténue. La fracture numérique ne fait que s'insérer dans la continuité historique des disparités socio-économiques du globe. Enfin, Internet est un outil profondément ambivalent. Son impact peut aussi bien être positif que négatif. Le passage de la société industrielle à la société de l'information s'accompagne de son lot de marginalisations et d'une somme non négligeable de précarités. Il peut conduire à un affrontement entre les processus antagoniques d'une mondialisation puissante, homogénéisant les styles de vie, et d'une tribalisation agressive fragmentant les communautés culturelles en cellules peu compréhensives à l'égard des « tribus » différentes d'elles.

Les TIC recèlent un réel potentiel émancipateur. Toutefois, la réalisation de ce potentiel ne dépend pas des caractéristiques de ces technologies elles-mêmes, mais des décisions politiques régissant leur utilisation. Tout se ramène à une question d'usages. En ce sens a été initiée dans plusieurs pays européens une politique volontariste de création d'accès publics à Internet au début des années quatre-vingt-dix [Dupuy G., 2002, *Internet, géographie d'un réseau*, Paris, Ellipses]. Différentes études au Canada, aux États-Unis, en France, en Inde, en Irlande et en Russie, montrent qu'au-delà des questions techniques ou de fréquentation, l'appropriation sociale et culturelle de ces lieux par leurs utilisateurs joue un rôle majeur [Mancebo F., 2003, « Accès publics à Internet et nouvelles sociabilités », *Géographie et Culture*, n° 46]. Les différents accès publics connaissent un peu partout des usages dédiés qui n'étaient pas prévus par leurs initiateurs et qui les distinguent les uns des autres. Si leur localisation spatiale ne définit pas à elle seule leur usage, le milieu en tant que contexte joue, lui, un rôle essentiel. À Paris, les utilisateurs de ces accès se servent des réseaux numériques comme prétexte à socialisation. Lieux de rencontre pour des populations qui ne se croiseraient pas autrement et qui se retrouvent autour de pratiques communes et d'échanges de savoir, les accès parisiens réussissent une forme de mixité sociale et tissent des liens intergénérationnels. Ils constituent aussi des repères dans la ville pour des personnes isolées et agissent comme révélateurs pour des communautés potentielles et des réseaux de solidarités invisibles autrement. L'appropriation de ces accès publics se fait donc selon une logique de proximité. Dans le même ordre d'idées, les moscovites, confrontés au caractère coûteux d'accès publics et de connexions personnelles rares et de qualité médiocre, ont inventé une solution originale qui combine les avantages de l'accès individuel et public. Il s'agit des services Internet collectifs installés à l'intérieur d'appartements. Ils utilisent des réseaux locaux dans des immeubles ou des quartiers, et fonctionnent selon le principe des réseaux coopératifs.

Ces expériences mettent en évidence la manière dont les accès publics contribuent à des recompositions spatiales, sans que l'aspect technologique en soit le principal vecteur. Ils ont à la fois le caractère de milieux et des lieux d'échanges virtuels mais aussi physiques. Par la manière dont ils sont investis comme espaces de sociabilité à géométrie variable entre une intimité partiellement protégée et une sociabilité organisée à l'intérieur des groupes d'usagers, ils participent à la configuration de l'espace public extérieur. Les utilisateurs ne sont pas des créatures éthérées, elles se connectent depuis quelque part, et ce « quelque part » revêt une grande importance lorsqu'il est partagé. Le succès des accès publics à Internet est largement tributaire de leur ancrage local. L'exemple des accès publics montre comment les actions impliquant des objets du milieu édifiés en ressources, furent-elles immatérielles, se cristallisent dans des usages qui sont autant de pratiques spatiales. Est-ce toujours le cas ?

Si tout comportement prend place dans l'espace il n'a pas nécessairement l'espace pour enjeu. Même la lecture, le sommeil ou l'utilisation d'Internet imposent de trouver le bon arrangement spatial, de choisir la bonne place et le bon mode de relation aux différents objets de l'environnement. Le terme d'usage renvoie aussi à un choix sur la valeur de ces objets, édifiant certains en ressources susceptibles d'utilisation. En conséquence, certains objets de l'environnement jouent, en tant que ressources, un rôle de marqueurs territoriaux.

Partant du constat d'un marquage territorial lié à l'utilisation des ressources, il importe d'interroger l'évolution des usages à partir de la manière dont le réel est perçu, édicté puis inséré dans des stratégies collectives ou des trajectoires personnelles. Cela répond pour partie à la question posée dès le début du XIXᵉ siècle par les travaux de l'École de Chicago, sur la manière dont les sociétés citadines s'adaptent à leur milieu de vie, pour le transformer, l'améliorer ou au contraire le dégrader [Grafmeyer Y., Joseph I., 1990, *L'École de Chicago : naissance de l'écologie urbaine*, Paris, Aubier].

1.3 Marqueurs territoriaux

Les marqueurs territoriaux, au sens éthologique du terme, correspondent au « marquage » du territoire de chasse ou de reproduction de nombreuses espèces animales. C'est-à-dire à la matérialisation d'une portion d'espace approprié : forme, limites, signification (aire de reproduction, de chasse, de repos, etc.). À ce marquage l'animal associe une partie de lui-même : son odeur, ses fientes, ses poils, sa voix, etc. Par analogie, les marqueurs territoriaux qui nous concernent constituent une prise de possession intime de l'espace. Lieux affectés d'une mémoire, qui induisent des comportements largement « affectifs » contribuant à éclairer l'organisation interne des territoires.

Ces considérations obligent à se demander comment s'opère la répartition des fonctions et des groupes sociaux dans l'espace, de telle sorte qu'ils rivalisent entre eux et se regroupent selon leurs affinités : répartition résidentielle différenciée par statut socio-économique et appartenance culturelle, communautés, quartiers à vocation particulière comme celui des affaires ou le quartier artisanal. Il s'agit certes de processus économiques, mais pas uniquement. Des éléments écosystémiques peuvent acquérir une valeur emblématique. Ainsi investis, ils deviennent des ressources qui jouent un rôle fondamental dans la différenciation spatiale. Cela est particulièrement net en milieu urbain. Là, de nombreuses populations animales commensales de l'être humain réalisent un véritable marquage territorial de la ville, souvent stigmatisant.

La société – ici urbaine – invente les marqueurs qui la configurent et l'organisent. Les travaux sur le rôle de ces marqueurs occupent une place croissante dans divers champs géographiques. Le cas de la blatte est particulièrement intéressant. Pour le citadin, la blatte est une expression de vie non désirée : une sorte de « nature-repoussoir ». Les réactions sont très uniformes : rejet, dégoût et répulsion. Insectes vivant majoritairement dans les régions tropicales, en des lieux sombres et humides, elles ont progressivement été introduites dans nos contrées ces trois derniers siècles. La blatte, limitée à la sphère domestique, inféodée aux bâtiments chauffés, se cache le jour dans des fissures où la température est élevée : tuyauterie de chauffage, radiateurs, etc. Elle se déplace facilement, souvent transportée avec les marchandises. L'animal est social. Son regroupement est favorisé par une phéromone d'agrégation rejetée avec ses excréments. Le rapport homme-blatte a une importance décisive dans l'inégale réussite des dispositifs de lutte [Rivault C., Cloarec A., Mathieu N., Blanc N., 1995, *Les blattes en milieu urbain*, Paris, CNRS Rennes, Strates]. En effet, compte tenu de la facilité avec laquelle elles se propagent, seule une lutte collective est efficace avec aspersion d'insecticides dans les poubelles, vide-ordures et gaines de chauffage.

La blatte est aussi un indicateur de la manière d'habiter en ville. Paradoxalement, les habitants les plus soucieux de désinsectisation, et les plus efficaces dans l'éradication, ne sont pas systématiquement ceux qui en ont le plus grand dégoût, qui s'en plaignent le plus ou qui en sont les plus infestés. Les représentations les plus extrêmes dans leur négativité se rencontrent majoritairement parmi les habitants de logements sociaux collectifs : les blattes « viennent des étrangers, des immigrés, des voisins ». Elles expriment la saleté. Les plaintes sont d'autant plus fréquentes que l'on a affaire à des espaces de relégation. Depuis les années soixante, les grands ensembles sont d'ailleurs étroitement associés aux cafards dans l'imagerie populaire. En réalité, la présence ou l'absence de blattes dans un appartement n'est absolument pas liée à la saleté, même si une fois les lieux infestés la saleté favorise leur développement en augmentant les sources d'alimentation potentielles. Le surpeuplement, avec l'entassement d'effets personnels, accroît également le nombre de refuges possibles.

Il existe plusieurs facteurs d'explication à ces réactions massives de rejet. La blatte cristallise le mal-être social urbain et agit comme un stigmate. Elle intériorise une identité négative, une « infamie sociale ». *La Métamorphose* de Kafka montre qu'il en était déjà ainsi, toutes proportions gardées, au siècle dernier. Ce faisant, la blatte a repris le rôle dévolu jadis à la mouche ou au rat, moins visibles aujourd'hui. Le citadin a besoin d'un animal exutoire, bouc-émissaire de ses difficultés, suscitant un marquage territorial en creux des lieux de la ville. Venue des tropiques, vivant dans des trous, se nourrissant des restes, la blatte est sans place et sans lieu.

De tels marqueurs ne sont pas des entités qui s'imposent aux sociétés de l'extérieur. Ils sont construits culturellement à partir des significations attribuées aux différents objets de l'espace, sans cesse reprises et réactualisées. Le concept d'écogenèse ne dit pas autre chose [Raffestin C., 1986, « Écogénèse territoriale et territorialité », *in* Auriac F., Brunet R. (ed.), *Espaces, jeux et enjeux*, Paris, Fayard]. Ce que les gens perçoivent de leur environnement, ce sont d'emblée des représentations ou de structures d'interprétation déjà construites. Elles ne sont pas intégrées telles quelles, mais donnent lieu à un travail permanent de négociation et de réinterprétation à partir des usages.

2. Entre ressources renouvelables et non-renouvelables

2.1 La question de la valeur

On peut différencier entre ressources renouvelables et non-renouvelables selon les rapports, destructeurs ou non, que les sociétés entretiennent avec les objets de leur environnement auxquels elles ont accès. Toutefois, la frontière n'est pas aussi tranchée qu'elle n'y paraît. Les ressources renouvelables ne le sont pas à l'infini. La Terre est en effet un espace limité et les vitesses de renouvellement des ressources ne sont pas instantanées. À l'inverse, la notion de ressource de non-renouvelable traduit une fausse idée d'irréversibilité : à l'échelle des temps géologiques le pétrole est, par exemple, tout à fait renouvelable. L'irréversibilité ne se joue qu'à l'échelle de l'histoire humaine. D'ailleurs, l'homme peut aussi produire des ressources non renouvelables, comme le montrent les écosystèmes agricoles qui ont nécessité plusieurs millénaires pour être créés.

Une société peut compromettre sa capacité à satisfaire ses besoins en surexploitant les ressources disponibles. L'agriculture sédentaire, le détournement des cours d'eau, l'extraction minière, l'émission de chaleur et de gaz toxique dans l'atmosphère, l'exploitation commerciale des forêts, sont des exemples de l'action de l'homme sur les écosystèmes qu'il habite. Il y a peu de temps encore, ces interventions étaient limitées, tant dans leur ampleur que dans leurs effets. Aujourd'hui, elles sont mondiales et intensives. Cependant, tout type de développement, même durable, entraîne inévitablement des modifications écosystémiques. On ne peut tout maintenir « en l'état ».

De manière générale, les ressources renouvelables ne s'épuisent que si le rythme de prélèvement dépasse leur capacité de régénération. Comment l'estimer ? Dans le cas des ressources forestières, selon que l'on s'attache à la biodiversité, à la production de bois, à la dynamique paysagère ou à la qualité des sols, les appréciations sont totalement différentes.

2.2 Renouvelables, mais pas toujours...

La formation des sols est un processus long et les sols disponibles sont en quantité limitée. Leur pollution par les déchets et l'activité industrielle est l'objet d'une prise de conscience récente : une vingtaine d'années tout au plus. Le type de contamination, sa gravité et sa cause sont très variables : sites d'anciennes usines à gaz, carrières reconverties en décharges, zones anciennes d'enfouissement des déchets ou encore entrepôts de produits toxiques. Considérons le site de Salsigne qui fait l'objet d'un programme de plusieurs dizaines de millions d'euros conduit par l'ADEME.

Salsigne, dans l'Aude, au pied de la Montagne noire, est un site géologiquement très complexe [Barthélemy F., Legrand H., 1999, Rapport au ministère de l'Environnement et au secrétariat d'État à l'Industrie relatif à Salsigne (Aude), Mission d'inspection spécialisée de l'environnement, Conseil général des Ponts et Chaussées, Conseil général des Mines, Paris]. De l'or y a été exploité dès 1924. Lors de la fermeture de la mine, en 1996, le problème des déchets est brutalement posé.

L'Institut national de l'environnement industriel et des risques (INERIS) effectue une étude de la pollution des sols. Elle fait apparaître des épaisseurs de déchets impressionnantes, avec plus de 200 000 tonnes de résidus et 13 000 tonnes de gypse arsénié dans un bâtiment. Les activités exercées à Salsigne ont laissé de telles quantités de déchets qu'il est impossible d'en faire un inventaire complet. Dans de telles conditions, la pollution des sols est importante, avec de fortes teneurs en arsenic, dues à la percolation des polluants dans le sol, l'entraînement par les eaux pluviales et les retombées des poussières transportées dans l'atmosphère par les vents. En ce qui concerne les cours d'eau, le niveau de 50 mg d'arsenic par litre est largement dépassé dans le Grésillou. Enfin, les légumes cultivés en bordure de l'Orbiel contiennent des teneurs anormales en métaux lourds et arsenic. Le site restera pollué longtemps. Si toutes les situations ne présentent pas la gravité de Salsigne, le traitement des sites pollués est devenu un problème environnemental majeur dans le Monde.

L'eau est un autre exemple de ressource renouvelable devant faire l'objet d'une gestion attentive. Dans le passé, la pénurie ou la mauvaise qualité de l'eau touchait surtout les régions pauvres du globe. Cela continue à être le cas de manière de plus en plus aiguë, mais aujourd'hui tous les pays sont touchés. On constate une dégradation qualitative et quantitative des ressources existantes d'une intensité telle qu'elle hypothèque leur renouvelabilité à moyen terme. La manière déplorable dont a été gérée la pollution cyanurée de la Tisza, affluent du Danube, illustre le propos (www.ramsar.org/cda/en/ramsar-news-archives-2000-cyanide-pollution-of-the/main/ramsar/1-26-45-89 % 5E23663_4000_0__).

La Tisza prend sa source en Ukraine où elle marque la frontière avec la Roumanie. Après avoir parcouru la Hongrie, c'est en Yougoslavie, près de Belgrade, qu'elle rejoint le Danube. Le 30 janvier 2000, près de Baia Mare en

Roumanie, près de 100 000 m³ d'eau polluée par du cyanure se sont échappés de l'usine AURUL (Australian-Romanian Joint Company) pour se déverser dans un petit ruisseau, puis dans la rivière Szamos et enfin dans la Tisza. Dans un premier temps, le gouvernement roumain a refusé de diffuser l'information. Il le fit, 12 jours plus tard. Pendant ce temps, cette pollution cyanhydrique a touché la Roumanie, mais également 500 kilomètres du fleuve en Hongrie et 100 kilomètres en Yougoslavie. Seule une centaine de kilomètres au nord de la haute Tisza hongroise ont été préservés. Les dégâts sont énormes : toute faune et toute flore aquatique ont disparu en quelques minutes à l'arrivée des polluants. En sus des populations aquatiques, la faune et la flore aérienne, dépendantes du fleuve, ont été atteintes. Des milliers d'oiseaux sont morts. Des experts ont tenté de repeupler immédiatement le fleuve à l'aide d'œufs et d'alevins, mais la tentative a été un échec. La chaîne alimentaire étant rompue, poissons et alevins mouraient de faim. Les pronostics les plus favorables prévoient encore près de cinq ans pour un retour à la normale.

Ce cas montre l'unité fonctionnelle du bassin versant et l'extrême dépendance de tous les lieux le constituant. Il dévoile aussi sa fragilité. Leurs dynamiques doivent être prises en compte dans l'urbanisation et dans les contraintes d'aménagement. L'ignorance, délibérée ou non, de ces exigences se solde tôt ou tard par des catastrophes majeures. Dès lors, le contrôle ou la possession de l'eau sont de nature fondamentalement politique, car ils intéressent l'ensemble d'une collectivité. C'est une des raisons pour lesquelles les usages de l'eau sont si souvent objet de conflits.

Les ressources sont donc des instruments de pouvoir au cœur de stratégies multiples : non seulement avec la matière, mais aussi avec les hommes pour lesquels cette matière est un enjeu. Les principaux usages des ressources sont l'appropriation, l'exploitation, l'habitation et la communication [Golledge R. G., Stimson R. J., 1997, *Spatial Behavior. A Geographical Perspective*, New York, Guilford Press]. L'arbitrage entre ces usages varie avec le contexte socio-économique, culturel et politique. Le pétrole est significatif de cela. Pendant longtemps, les puissances industrielles ont eu un accès au pétrole sur la base de relations de sujétion. À partir du milieu des années soixante-dix, les pays membres de l'OPEP ont contrôlé plus ou moins ce qu'il est convenu de nommer l'espace pétrolier, qui est aussi un espace temporel, par le jeu des prix et des quotas d'extraction. La ressource pétrolière est alors devenue une arme dans les relations internationales.

2.3 Valeur, valeurs

Examiner comment sont façonnées les expériences que les hommes font de ce qui les entoure pour livrer une lecture du monde, oblige à interroger les inflexions dans les stratégies d'acteur et l'émergence des structures de pouvoir au sein des sociétés. Les conditions d'une organisation de l'espace réellement durable impliquent une approche à la fois écosystémique et territorialisée, dans laquelle les sociétés ne se contentent pas de subir ou de gérer leur environnement, mais l'investissent en retour de leurs valeurs. La décision d'exploiter une ressource dépend de la valeur qui lui est accordée par les sociétés. Elle varie avec l'endroit et l'époque, selon l'usage dont elle peut être l'objet et du prix que l'on est prêt à payer pour en bénéficier. À l'inverse, elle dépend aussi du prix que l'on est prêt à payer pour éviter la dégradation de l'environnement ou la pollution liée à son exploitation. Ce prix à double face est dénommé consentement à payer [Kolstad C. D., 2000, *Environmental Economics*, Oxford, Oxford University Press].

Le consentement à payer dépend grandement du point de vue adopté. Considère-t-on le consentement à payer du pollué potentiel pour ne pas subir de dommage supplémentaire ou voir disparaître une ressource, ou bien le consentement à payer de celui qui va exploiter la ressource pour y avoir accès ou compenser les dommages induits ? Selon la perspective retenue, la réponse est fort différente. De plus, dans les deux cas précédents, on considère que l'exploitation va de soi. Comme si les utilisateurs de la ressource avaient seuls le droit d'agir sur ce bien environnemental, qui leur appartient de facto, les autres n'ayant plus qu'à payer pour réparer les dégradations ou recevoir de l'argent pour se taire. L'option de ne rien faire dite option zéro, où le bien n'est pas exploité, doit aussi exister. Dans cette dernière perspective, l'estimation du consentement à payer ne sera plus la même. En effet, « il n'est pas indifférent de sauter ou d'être poussé » [Sagoff M., 1990, *The Economy of the Earth: Philosophy, Law and the Environment*, Cambridge, Cambridge University Press].

Une bonne estimation du consentement à payer dépend en grande partie de l'arbitrage entre les différentes valeurs du bien. Classiquement, on distingue trois types de valeur pour une ressource : la valeur d'existence qui est la valeur économique que les gens attribuent à l'existence même de la ressource sans envisager nécessairement son usage, la valeur d'option qui est la valeur attribuée au fait de maintenir ouverte la possibilité de d'utiliser la ressource à un moment ou à un autre dans l'avenir, et enfin la valeur d'usage qui est la valeur de la ressource envisagée dans le cadre de son utilisation. La gestion de l'eau dans l'agglomération de Mexico témoigne des difficultés de cet arbitrage.

L'extension de l'agglomération de Mexico a longtemps impliqué pour les populations locales une forte valeur d'usage de l'eau au détriment de sa valeur d'option et de sa valeur d'existence, associée à une perception de l'environnement où seuls les terrains disponibles et la qualité du sol (agriculture et habitations) sont des ressources importantes [Mancebo F., 2007, « Des risques "naturels" aux politiques urbaines à Mexico », numéro spécial Gestion du risque et dispositifs d'alerte, *Revue de géographie alpine*, tome 95, n° 2, p. 95-118]. La majorité de la croissance urbaine de Mexico a été réalisée à partir de maraîchages. Toutefois, des enclaves agricoles se sont maintenues. La ville de Mexico a progressivement inclus Xochimilco – espace lacustre couvert de jardins flottants, les chinampas – dans son urbanisation.

En 1989, l'agglomération de Mexico prend conscience de l'importance de l'eau comme ressource. L'urbanisation de Mexico avait provoqué une dégradation quantitative et qualitative de la nappe phréatique aux graves répercussions :

– La surexploitation des nappes phréatiques a provoqué l'effondrement de terrains et le compactage des couches argileuses.

– La pollution des eaux et des sols, due à l'écoulement des eaux résiduelles de la ville dites aguas negras (eaux noires) et aux fertilisants, entraîne une concentration importante d'agents pathogènes dans les nappes exploitées.

Voilà l'eau dotée d'une forte valeur d'option, pour le moyen et le long terme de la consommation humaine, et d'une forte valeur d'existence ne serait-ce que pour la stabilisation des sols. En 1989, est publié un plan de sauvegarde environnementale. Or, la plupart des champs captants qui alimentent en eau la capitale sont à Xochimilco. Le plan prévoit donc de grandes surfaces de protection, des ouvrages hydrauliques d'assainissement et des réserves foncières visant à arrêter l'invasion urbaine à Xochimilco. Mais les habitants, qui n'ont pas été consultés et ne souffrent pas localement des problèmes de l'ensemble de l'agglomération, refusent le plan. Pour eux, la terre reste la seule ressource importante. En effet, la vente de parcelles à lotir et une pratique agricole plus intensive dans les chinampas sont les principales sources de revenus de populations. Ainsi, à mesure que le consentement à payer de l'ensemble de l'agglomération pour préserver la qualité des eaux se fait plus important, celui des résidents de Xochimilco ne varie pas. Au contraire, ils demandent des compensations pour la gêne occasionnée par le plan.

Le jeu sur les valeurs peut aussi être orchestré par les autorités locales, en jouant sur les rapports entre individus et collectivités, liberté et norme, espaces privés et espace public, comme en témoigne le cas de Seattle. Il est paradoxalement possible de s'appuyer sur des contraintes d'environnement fortes pour diminuer les nuisances. Des interventions volontaristes d'amélioration de l'environnement urbain émergeant au développement durable peuvent créer les conditions de véritables recompositions spatiales tel est le cas à Seattle (www. seattle.gov/economicdevelopment/).

2.4 Développement urbain durable à Seattle

L'État de Washington a connu une envolée démographique entre 1980 et 1990, avec un taux de croissance de 17 %. Pour répondre à cette situation, le *Washington State Growth Management Act* de 1990 a décidé que chaque ville de l'État devait préparer un plan de gestion de sa croissance avant 1995. Le plan de gestion de la croissance adopté fin 1994 par la municipalité de Seattle, Toward a Sustainable Seattle 1994-2014, n'avait pas comme finalité de bloquer l'accroissement démographique. Il s'agissait d'orienter la croissance économique et résidentielle vers des zones spécifiques. La densification et la mixité de l'occupation des sols sont au cœur de cette stratégie, ce qui constituait une originalité compte tenu de l'aversion des Américains pour l'augmentation des densités constructibles. De surcroît, Seattle est une cité riche, située dans un cadre exceptionnel. Il était donc difficile de présenter *ex abrupto* aux habitants un schéma directeur prônant une densification de l'espace urbain, synonyme de nuisances supplémentaires et de baisse de la valeur des logements déjà construits. Pour répondre à ces inquiétudes les autorités locales introduisent l'idée de *urban village* (village urbain). La ville n'est plus appréhendée comme un tout, mais sous la forme de micro-territoires juxtaposés, formant une unité. En partant de caractéristiques physiques, historiques, fonctionnelles et sociales, Seattle est découpée en villages urbains dont les cœurs se superposent aux centres urbains préexistants. Il existe quatre grands types de villages urbains qui vont du village à fort caractère résidentiel (*urban village*) aux zones à fort potentiel économique (*urban centers* et *manufacturing-industrial centers*). Chacun élabore son propre plan de gestion et d'aménagement, qui doit bien sûr être en adéquation avec les objectifs affichés par l'agglomération.

Le village urbain constitue la pierre angulaire de la lutte contre l'utilisation abusive de l'automobile. Sa faible étendue, son caractère multifonctionnel et les aménagements consentis en matière de voirie sont favorables au déplacement à pied ou en vélo. Une politique de transport originale lui est associée. L'objectif est de développer les capacités de rétention de chaque village, en stimulant l'activité commerciale et l'offre résidentielle à loyer modéré, pour limiter les déplacements dans l'agglomération. De plus, chaque *core* constitue un nœud pour le réseau de bus qui relie les villages entre eux. Mais la véritable originalité de la politique des transports en commun à Seattle réside dans le programme LINC (Local Initiative for Neighborhood Circulation-Initiative Locale pour un Trafic de Proximité). Il repose sur la mise en circulation de minibus desservant une aire géographique limitée à quelques îlots. Toutes les quinze minutes aux heures de pointe, sur appel aux autres moments de la journée, ils prennent les gens devant leur domicile pour les conduire au cœur du village urbain, où il est possible de faire leurs courses ou de prendre les bus réguliers. La démarche est soutenue par la création de nouveaux couloirs de circulation protégeant les quartiers résidentiels des flux de transit, et de la stricte limitation de nouvelles places de parking dans l'hypercentre.

La municipalité élabore maintenant des plans de quartiers basés sur le « village urbain ». Plus de quarante sont déjà adoptés. Ils favorisent surtout la lutte contre l'étalement urbain et la promotion d'une politique multimodale des transports à travers deux programmes. Car Smart Communities a pour objet le financement des projets présentés par les habitants pour réduire l'utilisation de l'automobile. Transit Oriented Development est un programme qui associe les municipalités de Seattle, Redmond le fief de Microsoft et Renton pour la construction de complexes associant une gare routière de transit, un parking, une crèche, 300 appartements à loyer modéré, des bureaux et des commerces. Le cas des villages urbains de Seattle est particulièrement innovant. Il s'attache à l'identification des territoires pertinents, préalables à la recomposition d'une structure urbaine complexe. Une telle politique, bien dans l'esprit du développement durable, dissocie contraintes d'environnement et nuisances. L'action porte sur la minimisation des nuisances perçues : bruit, ségrégation spatiale, isolement, dégradation du paysage, longueur du trajet et inconfort pour aller au travail. Les contraintes d'environnement ne sont pas traitées, dès lors qu'elles ne sont pas perceptibles ou perçues. La puissance publique ne se contente pourtant pas, ici, d'accompagner et de satisfaire les demandes des habitants. Elle assume aussi des partis-pris d'aménagement, fondés sur une politique cohérente transformant le cadre de vie, quitte à ce que les changements prévus soient l'objet de débats publics.

3. Les instrumentalisations du développement durable

Une des caractéristiques premières des enjeux environnementaux est d'affecter des biens collectifs pour lesquels les droits de propriété ne sont pas bien définis. En tant que supports de fonctions sans lesquelles le bien-être serait compromis (fonction d'épuration ou de régulation par exemple), ils entraînent des bénéfices que l'on ne peut réserver à une seule personne. Les politiques environnementales, en jouant sur les valeurs attribuées aux ressources, sont l'objet de multiples instrumentalisations.

3.1 Politiques de l'environnement et développement durable

· La déclaration finale du Sommet de Rio affirme qu'il est nécessaire de limiter, d'encadrer ou d'empêcher certaines actions potentiellement dangereuses sans attendre que ce danger soit scientifiquement établi de façon certaine. Cela fonde le principe de précaution, selon lequel il est préférable de s'abstenir d'agir lorsque les conséquences d'une action peuvent être importantes et irréversibles, tout en étant difficiles à prévoir par incertitude scientifique. Il ne s'applique donc qu'à des risques potentiels, mais non certains : supposés graves et irréversibles, mais surtout mal identifiés. En première instance, sa mise en œuvre suppose de considérer conjointement, pour toute action et pour tout projet les bénéfices attendus, les bénéficiaires possibles, les risques encourus, les victimes éventuelles, la réversibilité ou la compensabilité de ces risques, l'équité des régimes de responsabilité établis en cas de conséquences néfastes. Puis à considérer que, si les risques vraisemblables dépassent les bénéfices du point de vue de la collectivité, il vaut mieux éviter de les courir.

De fait, le principe de précaution privilégie des mesures procédurales de prudence fort éloignées d'arithmétiques simples, car des tiers absents sont engagés : générations futures, populations animales, etc. De plus, ces décisions sont prises en contexte d'incertitude par une approche qui tente de préserver la réversibilité des processus et les capacités de choix en portant attention aux transitions et aux bifurcations : les « accidents » possibles.

Du coup ce principe de précaution, qui paraît de simple bon sens, ne l'est pas forcément. En effet, comment identifier et décrire la probabilité d'occurrence des risques alors que, justement, les connaissances sont incertaines ? D'ailleurs, à partir de quand considérer que les connaissances sont incertaines ou au contraire suffisamment sûres ? Enfin, au moment d'une décision qui engage la collectivité, comment déterminer les « meilleures » combinaisons alors que les tiers absents (par leur absence, précisément) ne peuvent rien dire de leurs attentes ? Dès lors, ce principe qui a montré sa pertinence lors de grandes crises sanitaires récentes, autorise bien des interprétations lorsqu'il fait l'objet d'une application systématique.

Les nombreuses polémiques autour de l'implantation d'antennes-relais de téléphonie mobile sont tout à fait représentatives de cette tendance. Depuis l'apparition du téléphone portable, le bruit s'est répandu que les antennes-relais présentent des risques sanitaires. Sur la base de ces rumeurs de nombreux mouvements locaux d'opposition à l'implantation d'antennes-relais se sont développés. Or, qu'en est-il des risques réels ? Avant même que ne soient implantées les 35 000 antennes-relais GSM, il existait déjà 60 000 stations de base dont le rayonnement était beaucoup plus important. Elles n'ont jamais ému personne. Peut-être parce que leurs lieux d'implantation les rendaient moins visibles. De plus, chaque antenne-relais émet verticalement sur un angle très étroit, de 5 à 6 degrés. En conséquence, pour tout appartement immédiatement en dessous d'une antenne ou au pied d'un immeuble sur lequel elle est implantée, le rayonnement est nul. Enfin, techniquement parlant, si l'objectif est de diminuer les niveaux d'exposition tant lorsque l'on téléphone avec son portable qu'au voisinage des antennes, alors il faut installer davantage d'antennes d'une puissance moindre et non le contraire. En effet, l'émission radiative autour du téléphone est d'autant plus forte que l'antenne de réception est éloignée et difficile à capter.

Plusieurs études indépendantes ont été lancées pour tenter de mesurer de supposés effets biologiques. Aucune d'entre elles n'a mis en évidence la moindre conséquence néfaste. Peine perdue, le faisceau convergent concluant à l'absence de risques est transformé par les opposants en : « Il n'existe donc pour l'instant aucun risque identifiable pour la santé. » Avec un tel raisonnement, quel que soit le nombre d'études, il sera toujours possible de les invalider au nom d'une hypothétique révélation à venir. Ainsi, les soupçons persistent et les groupes de pression se renforcent. Pourquoi ? C'est que derrière ces prétendues « préoccupations sanitaires » se cachent d'autres enjeux : intérêts particuliers et stratégies politiques locales.

Certains considèrent qu'une des raisons de l'opposition à l'implantation d'antennes GSM est que celles-ci dégradent sites et paysages, c'est-à-dire *in fine* la valeur foncière des terrains et des biens. Cet argument ne tient pas. D'une part, il est possible d'équiper entièrement un site sans que les antennes soient visibles. Venise, par exemple, est une ville archicouverte, mais cela ne se voit pas. D'autre part, même lorsque les installations ne défigurent pas grand-chose (cas d'antennes fixées sur un pylône électrique) les protestations fusent.

Les vraies raisons sont à chercher ailleurs. Collectivités et particuliers ont un intérêt financier à accepter l'installation d'antennes-relais sur leurs propriétés ou leur espace de vie. En contrepartie, les opérateurs leur versent chaque année une redevance. Pour les voisins, personnes ou communes, qui supportent la présence de l'antenne tout en ne bénéficiant pas de la manne qui y est associée, cette situation est vécue comme intolérable. Cette nouvelle pomme de discorde ressuscite d'anciens conflits. Pour les opposants politiques locaux du moment, il s'agit d'une aubaine. Enfin, dans une logique de concurrence cynique entre collectivités territoriales, empêcher l'installation d'une antenne-relais chez le voisin, c'est aussi envisager à terme de la récupérer chez soi, subsides à la clé, dès que le « soufflé » sera retombé. Alors, face aux problèmes de connexions des habitants, l'intérêt public l'exigera. Ce même intérêt public que l'on aura superbement ignoré auparavant. C'est donc une somme de conflits d'intérêts très localisés et de petits calculs, qui se combinent avec la peur de l'innovation et peut-être avec une forme de vengeance des consommateurs face aux pratiques commerciales parfois contestables des opérateurs, pour former un terreau fertile à la rumeur.

Confrontés aux impératifs électoraux et à la montée d'un mécontentement de plus en plus virulent, élus et pouvoirs publics finissent par élaborer des dispositions inspirées du fameux principe de précaution. Elles valident la rhétorique des opposants quitte à rajouter à l'inquiétude. Ainsi, lorsque le rapport Zmirou préconise de ne pas installer de stations de base à moins de 100 mètres des crèches, des écoles ou des lieux publics ouverts, le rédacteur affirme ouvertement qu'il s'agit d'une mesure qui n'est pas prise « sur une base sanitaire ou de prévention mais dans le but de rassurer les parents des élèves concernés » (www.sante-jeunesse-sports.gouv.fr/IMG//pdf/Rapport_Zmirou_-_2001.pdf). Il s'agit pourtant d'un contresens scientifique. Plus les antennes sont éloignées, plus elles doivent développer une puissance d'émission importante et plus le niveau de rayonnement reçu aux alentours est élevé. À titre d'exemple, il a été demandé d'éloigner des antennes initialement implantées à proximité d'une école à Marseille. Les mesures ultérieures ont montré une augmentation du niveau de rayonnement du fait de l'accroissement des puissances nécessaires pour continuer à desservir la zone.

Ironie finale de l'histoire, nombre de personnes de cette affaire soutiennent deux revendications contradictoires. D'un côté, elles refusent les antennes-relais au voisinage de chez elles. De l'autre, elles se plaignent que l'endroit où elles vivent ne soit pas couvert par les réseaux. Beaucoup commencent à réaliser que la satisfaction de la première de leurs revendications, est en train de se réaliser au détriment de la seconde, autrement plus fondée, qui relève réellement du développement durable car elle touche à l'équité spatiale.

Depuis toujours, chaque nouvel outil de communication suscite des craintes *a priori* et alimente des rumeurs alarmistes. Mais la manière dont, aujourd'hui, ces peurs se fixent et finissent par induire des choix politiques et sociétaux est inquiétante. À l'action unilatérale de l'expert, jadis, se substitue le choix imposé par quelques associations, groupes de pressions et autres structures intermédiaires. Dans quelle mesure la confiscation de la décision par des groupes privilégiant des points de vue idéologiques ou des intérêts particuliers est-elle plus juste que sa confiscation par des techniciens ? Le risque de choix irrationnels est élevé. En effet, quel que soit le sujet abordé, la population se divise en catégories qui s'opposent par groupes de pression et associations interposés. L'action est vite bloquée. Dès lors, il est possible pour certains acteurs d'imposer à peu près n'importe quoi au nom de l'urgence et de l'intérêt supérieur de la collectivité, confisquant dans un second temps la parole qui avait été laissée à la population et court-circuitant experts et techniciens.

À l'inverse du principe de précaution, la prévention s'applique lorsque les risques sont clairement identifiés. Il s'agit de s'attaquer au problème à la source plutôt que d'en éponger après-coup les conséquences. C'est, par exemple, en partant de ce principe que l'État mène des campagnes préventives auprès des consommateurs de tabac depuis qu'a été prouvée la corrélation entre la fumée du tabac et les maladies cardio-vasculaires. Il est souvent associé au principe de correction à la source. Mais la prévention ne peut intervenir que si la connaissance des mécanismes en jeu permet d'estimer les dommages et provoquer une action proportionnelle. Le calcul des valeurs liées aux ressources est essentiel, car il décide de l'utilité ou non de la prévention. Il s'agit de réduire des risques connus par degrés, jusqu'à un état où toute réduction se traduira par des coûts supérieurs aux avantages escomptés. La gestion des déchets est typique de cette approche : prévenir la production de déchets à la source en améliorant la conception des produits, en modifiant le comportement des consommateurs, en optimisant le fonctionnement des administrations publiques chargées du ramassage et du traitement. Cette prévention, souvent accompagnée de valorisation matière et énergie, présente un triple avantage. C'est la voie la moins chère pour la collectivité, c'est celle qui optimise au mieux le cycle de vie des produits pour les entreprises et elle contribue à l'amélioration des conditions environnementales. On réalise ici un « triple dividende », selon le terme consacré. Une stratégie de développement durable est à triple dividende lorsqu'elle apporte un progrès dans chacun des domaines économiques, environnemental et social.

Mais cette notion de dividende autorise nombre de dérives. Le dividende environnemental étant mis en avant alors que les objectifs réels sont ailleurs, comme le montre l'application du principe pollueur-payeur. Celui-ci énonce que tout pollueur doit se voir imputer les dépenses décidées par les pouvoirs publics pour restaurer l'environnement dans un état acceptable. L'idée est simple, son application l'est beaucoup moins. Deux conceptions s'affrontent. L'une, restrictive, impute uniquement au pollueur la réduction et la compensation de la pollution directement produite par son activité : elle a longtemps été la règle vis-à-vis de l'Industrie. L'autre, plus large, lui affecte également le coût des pollutions indirectes : pollutions résiduelles, pollution du produit après sa cession, etc. Il s'agit de faire payer le coût de la pollution tout au long du cycle de vie de l'installation, du produit ou du service. En effet, il convient de distinguer entre les produits ou les services, ceux qui polluent par leur utilisation et leur production comme les carburants automobiles, et ceux qui ne polluent que par leur production comme les produits agricoles. Sous l'impulsion de l'Union européenne la tendance actuelle est à cette seconde interprétation.

Cette position générale souffre nombre de dérogations. Nombre d'activités échappent *de facto* à l'application du principe pollueur-payeur par la difficulté à monétariser les dommages engendrés. Tel est le cas de la pollution par les nitrates en agriculture. Sauf en cas de rejet massif, ponctuel et très localisé, il n'est pas possible actuellement d'imputer la présence de nitrates dans les eaux à tel ou tel agriculteur. De plus, la pollution par les nitrates provient aussi de « fuites » dans le sol vers les eaux souterraines, les rivières et les réseaux de drainage, qui ne dépendent que marginalement des quantités d'azote épandues. Quantité d'autres facteurs entrent en ligne de compte : nature du sol, du couvert végétal, pratiques d'épandage, quantités d'azote présent dans le sol, etc. En conséquence, on peut considérer qu'une activité agricole qui modifie le sol au point de diminuer sensiblement leur capacité de fixation, de transformation et de stockage (par exemple l'augmentation de l'érosion, de l'acidité des sols et des parcelles) contribue indirectement à la pollution par les nitrates par des cultures ultérieures, même si elle ne fait pas intervenir d'engrais azotés. Enfin, d'autres agents économiques tels que les producteurs d'engrais, de produits phytosanitaires, de semences ou d'aliments pour animaux devraient être solidairement responsables face à la pollution produite, puisqu'ils participent au choix et à la mise en œuvre des méthodes de productions agricoles dangereuses pour l'environnement.

De toute manière, il importe de ne pas donner l'impression de punir financièrement le pollueur. En effet, une telle attitude a un effet pervers immédiat : le paiement de taxes ou de redevances est alors vécu comme l'achat d'un droit à polluer. Rappelons que la raison d'être des taxes et des redevances sur la pollution, est d'amener tout pollueur un tant soit peu rationnel, à transformer ses externalités négatives (pollution des eaux par les nitrates par exemple) en externalités positives (fertilisation d'autres parcelles de cultures ou mise en œuvre d'un marché de droits d'épandage).

3.2 Concertation, participation, bonnes intentions…

Dans les principes de précaution, de prévention et du principe pollueur-payeur, au-delà des difficultés structurelles et des partis-pris techniques, les décisions sont de nature politique. En conséquence, leur réussite dépend en grande partie de leur acceptabilité. À elle seule, la loi ne suffit guère pour faire respecter l'intérêt commun. D'où l'importance d'une plus grande participation des populations concernées.

En France, l'introduction d'une part de concertation dans les débats environnementaux s'est faite sous la pression des engagements européens et de l'opinion publique. Pendant longtemps, inventeurs, ingénieurs, techniciens et utilisateurs publics et privés des techniques ont affirmé leur maîtrise exclusive : « nous savons, vous ne savez pas, donc faites-nous confiance ». Certes, dès 1976, avec la loi sur la Protection de la nature, enquêtes publiques et études d'impact préalables aux opérations susceptibles d'affecter l'environnement ont ouvert timidement la voie au débat public, tendance renforcée par la loi de 1983 sur la démocratisation des enquêtes publiques. C'est en 1995, avec la création de la Commission nationale du débat public sur le renforcement de la protection de l'environnement que le phénomène se formalise et prend de l'ampleur. Plus récemment, la participation des acteurs socio-professionnels et associatifs à la décision publique et à son évaluation dans le cadre la loi Solidarité et renouvellement urbain (SRU), de la Loi d'orientation d'aménagement et de développement durable des territoires (LOADDT) et la généralisation des procédures d'enquêtes publiques à la détermination des Plans de prévention des risques (PPR), la mise en place des Schémas de cohérence territoriale (SCOT) et des Plans locaux d'urbanisme (PLU) témoignent de la montée en puissance de cette demande de participation.

Mais la concertation avec les habitants, si elle est inscrite dans les textes et valorisée dans les discours, est singulièrement réduite dans la réalité. Dans la plupart des projets, les intérêts divergents de différentes fractions de population finissent par se neutraliser, bloquant une situation dont le dernier mot revient, dans l'urgence, aux élus ou au groupe d'intérêt le plus organisé. Les procédures, loin d'être innocentes, renforcent ce phénomène. Tout d'abord, les conditions très encadrées du débat, avec identification d'associations privilégiées, ne permettent pas une réelle appropriation des actions par les populations tout en sectorisant le dialogue. Les collectivités locales aiment bien, en effet, identifier des interlocuteurs « valables », vite institutionnalisés. Outre l'intérêt, évident pour l'élu, de choisir des groupes plutôt bien disposés à son égard, les associations désignées sont le plus souvent légitimées pour tel ou à tel sujet et ne seront reconnues que pour les projets qui en relèvent. Ce qui permet de cloisonner la discussion. De plus, les dispositions nationales ne fournissent pas de support financier aux expertises contradictoires et les enquêtes publiques ne s'appliquent pas à des décisions technologiques. Enfin, de manière plus générale, les débats manquent souvent de médiateurs, fonction beaucoup plus répandue dans les pays plus coutumiers de la concertation.

Il existe d'ailleurs une forte tentation de freiner la concertation de la part d'administrations et de collectivités territoriales qui craignent que le débat ne leur retire de la légitimité, qu'il n'entame leur pouvoir décisionnaire et qu'il ne crée des poches de contestation chronique. Un des moyens le plus couramment utilisés consiste à tronçonner les enquêtes publiques par portions d'ouvrages. Ainsi ne peut être discutée la pertinence globale du projet. Il est aussi possible de bloquer, tout simplement, l'accès à l'information. En effet, l'accès aux pièces des projets est loin d'être simple. Le chemin qui y conduit relève le plus souvent du parcours initiatique, avec obstacles administratifs et chausse-trappes, alors que toute l'information relative à l'environnement est supposée librement communicable au public. Ainsi, l'autorité détentrice des documents peut refuser de transmettre une information dont la consultation porterait atteinte au sujet auquel elle se rapporte ou aux intérêts d'un tiers ayant fourni l'information sans y avoir été contraint par une disposition. Elle ne s'en prive pas. Ces deux conditions sont tellement floues qu'il est pratiquement toujours possible de refuser. De toute manière, en aval, la tentation est forte de ne pas tenir compte des recommandations lorsqu'il y a débat, puisque rien n'y oblige

Pour que la participation de la population à la prise de décision soit complète et efficace, trois impératifs doivent être remplis : assurer le partage de tous les points de vue concernés, clarifier les régimes de responsabilités engagés par la décision à prendre avant qu'elle ne soit prise, exposer les motifs de la décision une fois celle-ci prise. Ces conditions sont rarement remplies. Dans un tel contexte la peur devient un élément important : rumeurs et phobies, méfiance des populations à l'égard des décisions, quelles qu'elles soient, manipulation des craintes par les acteurs pour faire adopter leurs priorités sans critique. Ce jeu conscient ou inconscient sur la peur ne facilite pas la réussite des politiques de développement durable.

Un phénomène d'autoprotection face à toute innovation vécue comme l'expression de la « force radicale et brutale » d'une élite se répand dans nos sociétés, sur la base de réactions purement émotionnelles, dans une sorte de phénomène NIMBY généralisé. Le comportement NIMBY, acronyme de *Not In My Backyard* (« Pas dans mon arrière-cour »), qualifie des conflits de riverains s'opposant à l'implantation, au maintien ou à l'extension de biens collectifs : entreprises, décharges, axes de communication, centres d'accueil pour demandeurs d'asile, etc. Les personnes et les collectivités territoriales concernées refusent la charge de services communs. Ils concrétisent souvent la négation de l'intérêt public au bénéfice d'une somme d'intérêts particuliers.

3.3 La peur, un rôle clé largement sous-estimé

On connaît aujourd'hui une inflation des discours autour de la peur à travers les risques. Elle fait écho à d'autres peurs plus générales : terrorisme, délinquance, etc. De nombreuses questions peuvent être posées sur le hiatus entre peur et danger réel. Il est essentiel de saisir l'ambivalence de la peur, à la fois émotion primitive et construction sociale complexe [Rey H., 1996, *La peur des banlieues*, Paris, Presses de Sciences Po]. Elle est impliquée dans nombre de comportements : fuite devant les dangers réels, crainte de dangers imaginaires. La peur mobilise à la fois une dimension individuelle en tant qu'expérience intime, et collective, partagée avec d'autres dans l'espace public. Elle est mise en scène socialement. Elle délivre des informations sur les représentations et les valeurs de nos contemporains : rapports de générations, rapports de genre, sexualité, environnement, alimentation, etc. Dans la peur du bioterrorisme, des maladies contagieuses, de la folie, des diverses contaminations de la contagion de maladies inconnues et à venir, de quelle forme de rapport à l'autre est-il question ?

Nos sociétés semblent développer une sorte d'addiction à la peur dans un univers aseptisé. La recherche de sensations fortes devient la règle pour une intensification du rapport au monde ou pour une affirmation de soi. Dès lors, on « joue à se faire peur ». La peur peut d'ailleurs déboucher sur des pratiques d'évitement tout à fait utiles, provoquant une prise de conscience et un calcul de risques. Elle peut aussi aboutir au renforcement les liens sociaux, comme le montrent les comportements de vigilance dans les transports publics lors des épisodes de menaces terroristes. Dans certains cas, lorsque l'action s'avère inopérante, des attitudes de conjuration permettent aux populations de domestiquer ou refouler l'angoisse.

Facteur de trouble, mais aussi de régulation, la peur ne se limite donc pas à une négativité incontrôlable. C'est d'ailleurs pour cela qu'elle est si souvent instrumentalisée. Nombre de politiques, tout particulièrement relevant du développement durable, se fondent sur la peur, soit en l'orchestrant, soit en subissant ses conséquences [Mancebo F., 2007, « Entre sécurité, peurs et catastrophes », *Revue des Deux Mondes, Dossier : Le développement durable ; une idéologie ?*, 10-11, octobre-novembre, p. 128-139].

Le cas de l'utilisation des boues d'épandage par l'agriculture montre comment la peur opère à la fois comme parasite et comme ressource en affectant ces boues de valeurs d'usage et d'option différentes. Dans les années soixante-dix l'épandage agricole des boues urbaines était une pratique confidentielle entre l'exploitant d'une station d'épuration et des agriculteurs mettant à disposition leurs terres [Dudkowski A., 2000, « L'épandage agricole des boues de stations d'épuration d'eaux usées urbaines », *Le Courrier de l'environnement*, n° 40]. Cette pratique s'est progressivement organisée sous l'impulsion de l'ADEME et de l'Assemblée permanente des chambres d'agriculture (APCA), car elle semblait doublement conforme aux principes du développement durable. Les déchets urbains se transformaient en ressources dans les espaces ruraux. Dans les années quatre-vingt-dix, deux phénomènes ont modifié radicalement la situation :

– Une production croissante de boues, liée notamment à la nouvelle réglementation européenne et nationale, a imposé des conditions plus sévères de traitement des eaux usées.

– La multiplication des épandages réalisés dans l'urgence et durant des périodes peu propices, a fini par générer des nuisances olfactives et susciter des réactions hostiles.

Assez rapidement, sous la pression du voisinage, certains agriculteurs ont commencé à refuser les boues. Les acteurs de la filière agroalimentaire, au premier rang desquels les distributeurs échaudés par différentes crises sanitaires, y sont devenus défavorables. Les représentants professionnels agricoles ont réagi en mettant en avant le service rendu à la société par l'agriculteur qui épand des boues. Le ministère de l'Environnement a alors tenté de clarifier les conditions d'épandage des boues et les garanties sanitaires et environnementales. La difficulté repose en ce que les boues relèvent autant du statut de déchet que de celui de matière fertilisante. La publication d'un arrêté a lieu, en 1998 à un moment peu favorable : la crise dite de « la vache folle » accrédite l'idée que l'introduction dans la chaîne alimentaire d'éléments exogènes aux processus de production classiques présente un risque sanitaire. Les boues sont assimilées aux farines animales. Enfin, l'intérêt financier de ces épandages, au lieu de constituer un argument positif, accroît encore la méfiance d'un public, qui oppose systématiquement intérêts sanitaires et intérêts économiques.

Le texte est donc contesté dès sa publication. L'épandage devient un enjeu de négociation tant pour des propriétaires agricoles qui entendent remettre en cause le statut du fermage de leurs terres, du fait de l'atteinte supposée à leur valeur foncière due à l'usage des boues, que pour les représentants du monde agricole qui veulent limiter les contraintes environnementales qui pèsent sur eux, tout particulièrement l'assouplissement du Programme de maîtrise des pollutions d'origine agricole. La situation embarrasse fortement les collectivités locales, car l'élimination des boues d'épuration est de leur ressort. Elles ne savent plus qu'en faire et hésitent à investir dans une filière dont elles ne sont pas certaines de la pérennité.

Dans cette affaire, le risque n'est pas vraiment environnemental. C'est celui, pour un élu local ou un service de l'État qui s'engage dans la voie de l'épandage agricole, de voir un jour sa responsabilité mise en cause. Celui, pour tout acteur de la filière agroalimentaire, de subir un mouvement de retrait des consommateurs, même en l'absence d'incidents réels. Enfin, risque social encouru par tout agriculteur qui épand des boues sur ses champs d'être montré du doigt dans un contexte où les pratiques agricoles sont régulièrement mises en cause. Le caractère de ressource ou de nuisance de ces boues, et les valeurs qui leur sont affectées, sont déterminés par la peur. Si les objets de l'environnement sont érigés en ressources par les sociétés, la peur joue un rôle fondamental dans cette construction, car elle détermine pour partie les arbitrages entre valeurs.

Trois questions émergentes

Catastrophes et crises interfèrent de plus en plus fortement avec les politiques de développement durable. À chaque événement catastrophique (tsunami, cyclone, tremblement de terre, pandémie, inondation, etc.) des aménagements inadéquats parce que non durables sont invoqués. Mais derrière ce constat, souvent juste, il convient d'interroger comment les peurs collectives, dont il a été question dans le chapitre précédent, peuvent créer une distorsion dans l'appréhension des risques qui aboutit à des procédures tout à fait inadaptées, fussent-elles durables. Les catastrophes questionnent ainsi les temps d'action du développement durable et le devenir de populations en mouvement, comme le montre le cas des migrants climatiques.

Le changement climatique, parce qu'il est appelé à bouleverser les équilibres planétaires et qu'il est d'ores et déjà cause indirecte de nombre de catastrophes, est une seconde émergence récente dans le champ du développement durable. Il introduit dans les politiques d'aménagement deux axes qui répondent en apparence aux préoccupations du développement durable : la réduction des émissions de gaz à effet de serre et l'adaptation aux nouvelles conditions climatiques. Les espaces urbains jouent un rôle majeur dans l'inclusion des impératifs du changement climatique au cœur du développement durable.

Cela oblige à redéfinir ce qu'est un territoire urbain durable, avant de chercher comment atteindre ce futur désiré. L'enjeu est de taille, car il éclaire une troisième question émergente pour le développement durable : celle de l'urbanisation du monde. Plus de la moitié de la population mondiale est aujourd'hui urbaine contre moins d'un tiers il y a trente ans. La question des formes urbaines souhaitables et celle des régimes d'urbanisation deviennent des enjeux majeurs du développement durable.

I. Catastrophes et crises environnementales, nouveaux enjeux

Un *distinguo* doit être établi entre phénomène naturel et catastrophe. Il existe, certes, des phénomènes naturels. Ils n'ont pas pour cause l'action humaine, même si leur intensité ou leur fréquence peut en être affectée : ainsi de l'hypothèse d'une relation entre changement climatique et activité cyclonique (www.realclimate.org/index.php?p=181). Par contre, leurs effets catastrophiques dépendent de la manière dont les hommes aménagent leur espace de vie ou plus exactement du risque qu'ils acceptent de prendre volontairement ou non, consciemment ou non : choix historique de fonder la ville là plutôt qu'ailleurs, choix individuels cumulatifs d'y habiter, choix sociétaux et choix institutionnels d'urbanisation. Une catastrophe « naturelle » est donc, fondamentalement, une catastrophe « humaine » en ce qu'elle résulte de choix d'exposition ou non à l'aléa.

Derrière la catastrophe « naturelle » se cache souvent, soit une analyse coûts-avantages qui a mal tourné, soit un choix délibéré bénéficiant à certains acteurs ou groupes sociaux au détriment d'autres. Qualifier une catastrophe de « naturelle » présente un grand avantage : celui de jeter un voile pudique sur les dysfonctionnements et les responsabilités humaines. Cette formule magique de dédouanement désigne un bouc émissaire (« marâtre nature ») aux populations sinistrées [Jeudy H. P., 1990, *Le désir de catastrophe*, Paris, Aubier, coll. « Résonances »].

La catastrophe consécutive au passage du cyclone Katrina à la Nouvelle-Orléans en 2005 éclaire particulièrement cela. Ce n'est pas le cyclone Katrina qui a dévasté la Nouvelle-Orléans, ce sont les inondations qui ont suivi l'effondrement des levées. Ce ne sont pas les inondations qui ont suivi l'effondrement des levées qui ont dévasté la Nouvelle-Orléans, c'est la non-prise en compte d'une information régulatrice qui existait depuis des années, ce sont des défaillances en chaîne du système d'alerte et des secours au moment de la catastrophe. Ce sont, sur une plus grande échelle de temps, des pratiques d'aménagement aberrantes, dont la toute première fut de laisser prospérer une agglomération presque entièrement située en dessous du niveau de la mer.

Dans le delta du Mississippi, se trouve la plus grande zone humide littorale de tous les États-Unis. Ces marécages absorbent une grande partie de l'énergie cinétique destructrice des cyclones à la manière d'une pelouse épaisse et dense qui absorbe la puissance d'un jet d'eau qui, sur une allée en ciment, éclabousserait avec force en tous sens. Or, depuis les années trente, la Louisiane a perdu plus de 50 millions d'hectares de zones humides. Les raisons sont multiples. Les sols « mous » marécageux s'enfoncent en se tassant. Mais cet effet est, normalement, compensé par des apports alluvionnaires du Mississipi. Or, cet apport ne se fait plus. Les coupables principaux sont les barrages en amont du Mississipi qui bloquent les sédiments avant l'embouchure. Mais les politiques locales d'aménagement ont aussi une grande part de responsabilité. La plaine côtière est littéralement quadrillée de canaux de navigation, de tuyaux (pipelines transportant pétrole et gaz depuis les plates-formes *offshore* du golfe du Mexique) et enfin d'un vaste système de levées formant un réseau aussi dense qu'hétéroclite. Ce réseau perturbe gravement l'écoulement des eaux. Il favorise les dépôts prématurés de sédiments qui s'accumulent autour des conduits et des canaux. Les sédiments ainsi retenus n'alimentent plus l'ensemble des marécages qui s'ennoient.

Dans ce contexte déjà peu favorable, les choix d'aménagement de la Nouvelle-Orléans, ont contribué à amplifier les conséquences du passage de Katrina. Ainsi, deux gigantesques canaux de navigation permettant aux navires de gros tonnage, en provenance de la pleine mer, d'accéder au lac Pontchartrain (Industrial Canal) ou d'accéder au lac Borgne (Mississippi River-Gulf Outlet [MRGO] Canal) ont été construits à la fin des années 1960. Or, ces canaux constituent de véritables voies d'accélération et de pénétration pour les cyclones. Selon l'expression consacrée, ce sont des *hurricane highways* (« autoroutes à cyclones »), permettant aux cyclones de frapper la ville sans rien perdre de leur pouvoir destructeur, voire en l'intensifiant. Tout cyclone abordant les côtes de Louisiane selon la bonne direction se retrouve donc à la Nouvelle-Orléans avec une puissance dévastatrice multipliée. Ces canaux ne sont pas seulement une aberration sur le plan de l'aménagement urbain. Ils sont aussi d'une inefficacité économique rare. Ainsi, le MRGO n'a jamais été fréquenté, depuis sa création, par plus de 3 % du trafic marchand, soit moins d'un bateau par jour.

C'est ainsi que le cyclone Katrina a d'abord atteint le lac Borgne en provenance du golfe du Mexique. De là, il a remonté le MRGO puis l'Industrial en accélérant et en forcissant selon le principe du « *hurricane highway* », jusqu'à atteindre le cœur de la ville. Un véritable mur d'eau a été projeté jusqu'au cœur de la Nouvelle-Orléans.

Mais le plus surprenant a été l'incapacité manifeste à faire face à la catastrophe après-coup, alors que de nombreux rapports prédisaient le scénario qui s'est réalisé. Quand Katrina a touché les côtes, peu de risques aux États-Unis avaient été autant étudiés. Dès 2001, la FEMA (Federal Emergency Management Agency) a rangé le risque cyclonique sur la Nouvelle-Orléans en tête des plus grandes menaces pesant sur les États-Unis, devant le « *Big One* » californien. Durant l'été 2004, avait eu lieu une simulation dite « *cyclone Pam* », construite sur le modèle d'un ouragan lent de catégorie 3 arrivant en Nouvelle-Orléans par l'ouest, avec pour conséquences immédiates une inondation subite de la ville sous 3 à 6 mètres d'eau provenant de levées défaillantes. La simulation prédisait que plus de 100 000 habitants seraient dans l'incapacité matérielle de quitter la ville (www.fema.gov/news/newsrelease.fema?id=13051). Mais, confronté aux graves lacunes apparues lors de la simulation, la seule réponse du DHS (Department of Homeland Security) a été de supprimer les financements prévus pour la mise en place d'un plan d'alerte et de gestion de crise, au prétexte que le désastre est de toute manière inéluctable. Le seul plan existant prévoyait un transfert massif de population hors de la ville, le reste devant être intégré dans des petits refuges disséminés (http://understandingkatrina.ssrc.org/Quarantelli/).

Mais, le jour venu, l'évacuation s'est révélée impossible. Les habitants ont été dirigés vers le Superdome et le Convention Center, formant deux refuges géants. Ces gigantesques structures s'avèrent totalement inadaptées pour assurer protection et soutien aux 30 000 personnes entassées dans chacun. Assez rapidement, 70 % du toit du Superdome s'avère défaillant : des fuites importantes apparaissent, l'eau tombe sur les personnes « évacuées » avec des débris de toiture. L'électricité est coupée dans toute la ville et, en l'absence de batteries ou de générateur autonome, le Superdome est plongé dans l'obscurité et la climatisation cesse de fonctionner. Nul n'avait prévu des réserves suffisantes d'eau, de nourriture, de lits ou de couvertures. C'est dans cet espace insalubre, obscur, surchauffé, dangereux, sale, sans eau, sans nourriture, sans toilettes que vont vivre 30 000 personnes pendant 3 à 4 jours. Il est vrai qu'à l'extérieur la situation n'est guère mieux gérée. La réponse fédérale, en particulier, est une accumulation des fausses manœuvres. Dans les rues ou chez eux, les gens démunis de tout se regroupent pour récupérer de quoi manger dans les magasins. Ils se font tirer dessus par les quelques forces de police présentes, qui les confondent avec des pillards. À décharge pour eux, la frontière est bien souvent difficile à tracer entre pillage et comportement de survie.

Cette catastrophe montre une situation où les dysfonctionnements ne sont pas reliés à un déficit d'information, mais à la négligence délibérée de l'information existante. Katrina soulève la question de l'arbitrage entre la place accordée à l'information fonctionnelle et celle accordée à l'information régulatrice dans les politiques d'aménagement et d'urbanisme [Raffestin C., 2006, « Catastrophes naturelles ou catastrophes humaines, journées du réseau international "Alerte en milieu urbain" », mars 2006, UMR PACTE, Grenoble]. L'information fonctionnelle intéresse la mise en valeur des ressources territoriales et le fonctionnement des systèmes territoriaux. Elle inclut des systèmes de normes techniques, des connaissances scientifiques opératoires, des référents culturels, etc. L'information régulatrice, quant à elle, concerne la pérennité du système territorial concerné en évitant déséquilibres et destructions. Elle est composée de valeurs, de codes et de réseaux sociaux, de la mémoire des sociétés, mais aussi de la transposition analogique d'événements ayant déjà eu lieu « ailleurs » ou de connaissances acquises (simulations, études prospectives, modélisations) permettant d'envisager l'avenir. Son acquisition demande à être favorisée dans toute politique d'aménagement réellement durable. Sans information régulatrice, une société est condamnée à se détruire.

En l'occurrence, derrière les catastrophes, on constate que l'information régulatrice est sacrifiée. Elle l'est parfois pour d'excellentes raisons, lorsque par exemple l'information appropriée manque, mais le plus souvent pour des raisons beaucoup moins avouables : d'une part, dans les sociétés humaines, la satisfaction immédiate des besoins l'emporte, car l'information régulatrice coûte dans l'immédiat et ne rapporte que dans le futur et par défaut ; d'autre part, les désastres sont toujours suivis de reconstruction, donc d'investissements massifs. Ce courant de pensée s'exprime, aujourd'hui, dans divers rapports de la

Banque mondiale [Benson C., Clay E. J., 2004, « Understanding the Economic and Financial Impacts of Natural Disasters », *Disaster Risk Management Series*, n° 4, The International Bank for Reconstruction and Development, Washington D. C.,World Bank]. Son histoire prend sa source dans une interrogation et un constat, tous deux légitimes mais vite instrumentalisés.

Tout d'abord, une critique de la rentabilité des investissements réalisés pour prévenir ou réduire les conséquences des risques : sont-ils justifiés au regard des résultats escomptés ? Ensuite, de nombreux travaux menés en grande partie au sein du National Hazards Center de l'université du Colorado, convergent pour constater qu'une catastrophe crée un choc dans les sociétés qui rend acceptables des mesures (financements, équipements, relogements, normes) autrement massivement rejetés par des populations n'ayant pas conscience du risque encouru. La catastrophe crée donc, selon eux, une fenêtre d'opportunité d'autant plus intéressante que, le terrain étant dévasté, tout est à reconstruire : c'est la procédure dite de *holistic recovery*, paradoxalement présenté par ses promoteurs comme relevant du développement durable [Monday J. L., 2002, « Building Back Better, Creating a Sustainable Community After Disaster », *The National Hazard Informer*, n° 3].

Depuis, la reconstruction de la Nouvelle-Orléans est devenue, au delà de l'opportunité économique, le moyen de mener à bien une vaste opération de reconfiguration urbaine. Elle vise à transformer radicalement l'image de la ville tout en empêchant, autant que possible, le retour des populations les plus déshéritées. Cette politique dite Towards a Sustainable New Orleans, met en avant des opérations d'urbanisme durable, alors que rien n'est fait pour rectifier les choix d'aménagement aberrants qui ont conduit à la catastrophe.

En janvier 2006, la FEMA évaluait le nombre de déplacés à plus de 2 millions. Fin 2006, plus de 40 % n'étaient pas revenus ; 60 % pour l'aire métropolitaine de La Nouvelle-Orléans. Il s'agissait surtout des plus pauvres. Avant l'ouragan, existait une grande hétérogénéité dans le type d'urbanisation et le profil socioculturel des habitants entre les quartiers de La Nouvelle-Orléans. Après Katrina, cette hétérogénéité s'est révélée dans les différences de vulnérabilité des bâtis et dans les inégalités spatiales de la reconstruction. Les plus anciens quartiers – French Quarter ou Garden District – sont situés sur les sites les plus élevés. Ils n'ont que peu souffert. Il existe aussi des quartiers résidentiels dans des espaces très soumis aux inondations. Ils ont été submergés sous près de

2,50 mètres d'eau. Mais les habitants de ces lieux avaient la capacité financière de reconstruire, ce qu'ils ont fait malgré la dangerosité du site. En revanche, dans les endroits les plus pauvres, les habitants ne sont pas revenus. C'est ainsi que le Lower 9th ward, l'un des quartiers les plus déshérités, ressemble toujours à une ville morte. De fait, ceux qui essaient de revenir ont d'énormes difficultés pour trouver un logement disponible et abordable. Il semble y avoir une stratégie concertée d'exclusion des populations les plus dérangeantes, par les autorités locales, d'État et fédérales. La FEMA a ainsi admis que leur évaluation du nombre de logements en état de péril était largement excessive, car la plupart des inspections n'étaient que des *rapid exterior inspections*. Or, la grande majorité de ces logements – les sept dixièmes – étaient les logements modestes ou très modestes hébergeant des familles à très bas revenus. À leur place sont construits de logements de meilleure qualité, beaucoup plus chers. Avant Katrina, 5 100 familles vivaient dans des logements sociaux à La Nouvelle-Orléans. En juin 2006, l'US Department of Housing and Urban Development et le HUD-Controlled Housing Authority of New Orleans a décidé paradoxalement de détruire les grands ensembles des quartiers de B. W. Cooper, C. J. Peete, Lafitte et St. Bernard, qui était en parfait état, pour les remplacer par des immeubles locatifs privés dont une partie seulement (moins de 50 %) seront des logements sociaux.

Un deuxième obstacle empêche le retour de ceux qui le souhaitent : l'indemnisation des biens par les assurances est très inférieure aux pertes réelles subies. Souvent, les assurances ne couvrent pas ou mal les dommages dus au vent ou aux inondations. Il convient de rajouter qu'une part non négligeable des populations pauvres n'était tout simplement pas assurée. Enfin, de nombreuses familles modestes habitant la même maison depuis des générations n'avaient plus de titre de propriété, voire n'en avaient jamais eu. Elles se sont donc retrouvées inéligibles aux diverses aides.

Il apparaît donc que la plupart des déplacés n'ont pas l'option du retour, avec une stratégie de reconstruction de La Nouvelle-Orléans supposée « durable » qui multiplie, en réalité, les obstacles devant ceux – peu présentables – qui désireraient revenir. Ce faisant, les déplacés de Katrina préfigurent d'autres exodes dus à des dégradations de conditions environnementales : cause, lorsque l'ancien espace de vie est devenu inhabitable ; conséquence, lorsque les déplacements de population déclenchent une dégradation des conditions environnementales dans l'espace d'accueil [Black R., Koser K., 1998, *Refugees, Environment and Development*, Addison Wesley].

La prise en compte de tels déplacements de population dans des politiques d'aménagement durable n'est pas évidente. Dès 1985, un rapport du PNUD a établi un lien direct entre mouvements de populations et catastrophe environnementale lors de la grande sécheresse du Sahel [El Hinnawi E., 1985, *Environmental Refugees*, United Nations Publication]. Certains auteurs parlent déjà d'exilés environnementaux. Ces exilés, n'ont droit à aucun statut, ni protection spécifique ; avec ironie, Simms et Conisbee les nomment *legal gypsies* [Conisbee M., Simms A., 2003, *Environmental Refugees. The Case for Recognition*, New Economics Foundation].

À la racine de la plupart des dégradations environnementales, cause de flux migratoires massifs, se trouve le changement climatique. La préoccupation croissante des pays du Nord à l'égard de ce nouveau type de migration, et la prise de conscience du rôle du changement climatique dans les dégradations environnementales à l'origine de ces mouvements de population, a fait émerger la question du changement climatique comme une composante clé, à prendre en compte dans les politiques de développement durable.

2. Le développement durable est-il soluble dans le changement climatique ?

Dès 1992, la Convention-cadre des Nations unies sur les changements climatiques (CCNUCC) – en anglais United Nations Framework Convention on Climate Change (UNFCC) – a mis en place un cadre intergouvernemental pour faire face à l'évolution du climat, affecté par les émissions anthropiques de GES (Gaz à effet de serre) (http://unfccc.int/). Les pays signataires sont supposés agir pour diminuer leurs émissions et s'adapter aux nouvelles contraintes environnementales. La Conférence des parties (COP) regroupe tous les pays signataires. Le terme de « partie » est l'abréviation de « partie prenante ».

Lors de la première COP, dans une décision connue sous le nom du mandat de Berlin, les parties entamèrent un cycle de négociations en vue d'engagements plus contraignants pour les pays industrialisés, dits « parties de l'annexe I ». Deux ans et demi plus tard, en 1997, le protocole de Kyoto fut rédigé lors de la troisième COP. Entré en vigueur en 2005, il engage les parties de l'annexe I à des objectifs individuels de réduction des émissions de GES d'au moins 5 % par rapport aux niveaux de 1990 durant la période d'engagement 2008-2012. En 2007, un nouveau cycle de négociations a donc démarré pour préparer l'après-2012. Il s'est achevé à Copenhague en 2009.

Le travail de mise en forme des nouveaux engagements est mené par une structure créée spécialement, le Ad Hoc Working Group on Further Commitments for Annex 1 Parties under the Kyoto Protocol (AWG-KP). Mais dans le même temps, dès la treizième COP à Bali, un Bali Action Plan est lancé. Il identifie quatre angles d'attaque pour améliorer les politiques climatiques : réduction des émissions de GES, mais aussi adaptation, développement de technologie et financements. Pour le mener à bien, une autre structure est créé le Ad Hoc Working Group on Long-term Cooperative Action under the Convention (AWG-LCA).

En fait, l'existence de ces deux groupes distincts, AWG-KP et AWG-LCA, signifiait que les travaux concernant l'évolution du protocole de Kyoto et ceux concernant l'application du Bali Action Plan dans le cadre du CCNUCC seraient menés séparément. C'est étrange, si l'on songe que le protocole de Kyoto est l'expression des travaux du CCNUCC, et que le Bali Action Plan est censé penser l'après-2012 du protocole de Kyoto. Un tel dispositif montre une volonté évidente de ne pas renouveler Kyoto mas d'aller vers un accord radicalement différent. Il est vrai que l'AWG-LCA se penche, entre autre, sur les nouveaux engagements des pays industrialisés qui n'étaient pas dans l'annexe I du protocole : il y a de fortes chances que ceux-ci désirent éviter un protocole de Kyoto-bis.

Les attentes pour la quinzième COP à Copenhague étaient grandes. Mais, des désaccords permanents sur la procédure et l'organisation du travail, aboutirent à un blocage général. À deux journées de la fin du sommet, un groupe de chefs d'États représentant les principaux pays émetteurs de GES et les principaux groupes de négociation de la CCNUCC, concluent alors un accord lors en session parallèle. Cet « accord de Copenhague » décrivit les termes d'un accord souhaitable, incluant un financement important des pays développés vers les pays en développement pour les aider dans leurs actions contre le changement climatique (www.centre-cired.fr/spip.php ? article935). Mais cette proposition n'est pas adoptée en séance plénière de clôture. Elle devient une recommandation.

Que dit cette recommandation ? Les signataires s'engagent à maintenir l'élévation de température mondiale inférieure à + 2° C grâce à de fortes réductions des émissions de GES. Ils s'engagent également à atteindre leur pic d'émissions mondiales le plus rapidement possible. L'accord marque un virage important par rapport au protocole de Kyoto qui prévoyait un objectif commun décliné par pays. Ici, chaque pays prend un engagement individuel, certes vérifiable, mais sans garantie que la somme des engagements individuels permette d'atteindre un objectif collectif : c'est le principe du *pledge-and-control*. Par ailleurs, la validation des actions distingue entre pays développé, qui sont soumis à des mesures, rapports et vérifications internationales, et pays en développement dont les efforts sont mesurés, rapportés et vérifiés par eux-mêmes. Ce qui limite grandement la capacité de vérification. L'accord note, en outre, que le développement social et économique sont des priorités absolues des pays en développement même au prix d'émissions importantes. D'une manière générale, l'accord rappelle le besoin d'un soutien financier aux pays en développement pour leurs actions de réduction des émissions et d'adaptation au changement climatique [Averchenkova A., 2010, *The Outcomes of Copenhagen ; the Negotiations and the Accord*, UNDP Environment and Energy Group, Climate Policy Series].

Au-delà des généreuses intentions de cet accord, il existe un énorme biais lié aux critères d'éligibilité aux aides. Les actions relevant de l'adaptation aux effets du changement climatique (par exemple aux baisses de productivité agricole) et celles relevant de la compensation des mesures prises pour le limiter (par exemple pertes de revenus des pays pétroliers) sont toutes deux éligibles. Dès lors, comme il est prévisible que les pertes des pays pétroliers des deux prochaines décennies seront très importantes et plus simples à chiffrer que des politiques d'adaptation plus globales, les pays pétroliers risquent d'accaparer une grande partie des financements. Ironie finale, l'accord mentionne que ce sont les pays de l'annexe I qui fourniront ces moyens financiers, ce qui exonère les pays émergents et les pays pétroliers qui, par ailleurs, ramasseront la mise au grand dam des pays qui en ont réellement besoin. Pour tenter de diminuer cet effet pervers, il est prévu que le financement de l'adaptation sera affecté en priorité aux pays les plus vulnérables, tels certains pays africains, le Bangladesh et les petits États insulaires, par une structure dont la gouvernance représentera les pays industrialisés et en développement excluant les agences bilatérales d'aide au développement. Mais les sommes en jeu seront ici assez faibles.

Après plus de 10 jours de discussions, la COP 15 de Copenhague a donc accouché d'un accord *a minima*, flou et très insuffisant : une régression par rapport au protocole de Kyoto et une fin de non-recevoir pour le Bali Roadmap. Seul point positif, la mobilisation sans précédent de la société civile, du grand public, mais aussi des collectivités territoriales, principalement les villes.

C'est dans un tel contexte que les espaces urbains sont devenus les principaux leviers d'action des politiques climatiques. La 18e session du Congrès des pouvoirs locaux et régionaux du Conseil de l'Europe à Strasbourg en mars 2010 affirmait, faisant référence à l'échec de Copenhague : « Il incombe aux autorités locales et régionales de continuer à montrer la voie, là où les gouvernements centraux ont échoué » (www.actualites-news-environnement.com/23207-villes-regions-finir-travail-Copenhague.html). Dans la résolution qu'ils ont adoptée, ils soulignent que les villes et les régions jouent un rôle moteur dans les stratégies d'adaptation et de lutte contre le changement climatique et appellent les gouvernements à reconnaître formellement le rôle des pouvoirs locaux et régionaux, à les intégrer dans le processus de négociation et à soutenir leur action en faveur du climat.

L'initiative de ce mouvement est venue des « grandes villes », pour gagner ensuite l'ensemble de la planète. En octobre 2005, les 18 plus grandes villes mondiales se sont réunies à Londres pour coordonner leurs actions en matière de politique climatique. Rejoints par d'autres cités, elles formèrent le groupe C40 – en référence aux 40 grandes villes partie prenantes – et établirent, en août 2006, un partenariat avec le Clinton Climate Initiative en s'engageant à réduire leurs émissions de GES et améliorer leur efficience énergétique (http://live.c40cities.org/cities/).

Ce dynamisme des collectivités urbaines est en partie explicable par la volonté des villes de s'affirmer comme des acteurs majeurs sur la scène internationale : aux États-Unis, de nombreuses villes ont engagé des politiques locales de réduction des émissions de GES alors que le gouvernement fédéral refusait la ratification du protocole de Kyoto. Le cas du réseau Eurocities montre comment les villes se saisissent de la question climatique comme d'un enjeu susceptible d'accroître leur poids politique et leur visibilité. Le réseau Eurocities a été fondé en 1986 par six grandes villes (Barcelone, Birmingham, Francfort, Lyon, Milan et Rotterdam) à partir du constat que, confrontées aux mêmes défis et aux mêmes opportunités, elles avaient intérêt à mutualiser leur expérience. Leur objectif implicite était de devenir une plate-forme politique de villes pouvant faire pression sur les institutions européennes. D'ailleurs, en 1998, le texte *Eurocities for an Urban Policy* était une déclaration en faveur d'une intégration plus forte des préoccupations urbaines dans les politiques européennes. Aujourd'hui, le réseau compte près de 140 agglomérations européennes. En octobre 2008, alors que cela ne figurait pas dans les priorités du réseau, Eurocities a lancé subitement une *Climate Change Declaration* (Déclaration sur le changement climatique) (http://eurocities.wordpress.com/). Cette déclaration souligne notamment l'engagement des signataires à mettre en œuvre des actions locales pour le climat, dans le but d'atteindre les objectifs européens de réduction des émissions de GES.

Un lien explicite est fait dans toutes ces structures entre développement durable et politique énergétique. Il est décliné à l'envi par l'ensemble des groupements de villes qui prennent aujourd'hui en charge la question du changement climatique. Le cas le plus symptomatique est celui de l'ICLEI (International Council for Local Environmental Initiatives) dont on a vu dans la première partie le rôle joué dans la promotion des agendas 21 locaux auprès des collectivités locales (www.iclei.org/index.php?id=800).

Les actions locales pour le climat obligent à repenser la forme du développement urbain : les politiques de rénovation des bâtiments et d'amélioration de leurs performances énergétiques ont des conséquences directes sur la forme urbaine ; l'amélioration de l'offre de transports publics n'a de sens que si elle prend en compte les évolutions des mobilités individuelles à l'échelle de l'agglomération, etc. De ce fait, la ville post-carbone implique une reconfiguration profonde des politiques urbaines souvent intégrées aux projets de ville durable ou des quartiers écologiques. Cela présente un risque : progressivement, l'accent est porté sur la composante climatique au détriment des autres aspects du développement urbain durable. Dans la plupart des cas, les aspects climatiques (réduction des émissions de gaz à effets de serre, par exemple) mobilisent projets et motivations [Burton E., 2001, « The Compact City and Social Justice », *Housing, Environment and sustainability*, Housing Studies Association Spring Conference, University of York]. L'utilisation économe de l'espace, la compacité, la mixité fonctionnelle, la mobilité douce, la proximité renvoient alors à des préoccupations énergétiques, alors qu'elles ne sauraient s'y réduire.

Rien ne prouve que les impératifs du développement urbain durable et ceux des actions locales pour le climat soient toujours compatibles ; *a fortiori* superposables. En règle générale, entre les Plans climat locaux (PCL) et les politiques favorisant la durabilité urbaine, il y a des frictions de trois types : une amplification d'effets pervers propres au développement urbain durable par les politiques climatiques locales ; des échelles et des modes d'intervention antagonistes ; des contradictions entre les préconisations climatiques et celles liées à la durabilité urbaine.

Ainsi, les quartiers durables sont destinés, la plupart du temps, à des catégories de population relativement aisées. La raison en est simple : ces couches sociales sont ciblées car elles peuvent assumer une partie du surcoût de construction et sont prescriptrices de modes et de tendances. L'idée sous-jacente est qu'une demande plus forte prendra forme, entraînant la démocratisation de l'offre par une baisse des coûts liée aux économies d'échelle. En Suède, les opérations urbaines d'Hammarby (Stockholm) et Västra Hamnen Bo01 (Malmö) relèvent de cette approche. Mais cette dynamique ne va presque jamais à son terme : d'une part, un dérapage des coûts de construction s'observe car les promoteurs, contraints par un cahier des charges très exigeant sur le plan environnemental, jouent la carte du *standing* pour accroître leurs gains ; d'autre part, ce type de logements étant par définition limité en nombre et son attractivité étant forte, la loi de l'offre et de la demande accroît le coût du loyer ou du mètre carré à l'achat indépendamment de l'évolution des prix à la construction. Cela amène certains auteurs à dénoncer le voile environnemental jeté sur des dynamiques de nature profondément inégalitaire puisqu'elles impliquent l'éviction de populations socialement fragilisées hors de ces nouveaux espaces ou de quartiers centraux réinvestis vers des espaces périphériques souvent plus bruyants ou plus pollués [Smith N., 2002, « New Globalism, New Urbanism: Gentrification as Global Urban Strategy », *Antipode*, n° 34, p. 427-450].

Les actions locales pour le climat, quant à elles, qui se traduisent par des dispositifs de réduction des émissions de GES par une meilleure efficience énergétique des bâtiments, une diversification des modes de production d'énergie, une réduction du recours aux combustibles fossiles et un recours aux circuits courts d'approvisionnement, ont un coût de mise en œuvre qui se rajoute à celui, déjà élevé, de ces écoquartiers. En conséquence, lorsque la contrainte climatique s'impose aux écoquartiers, les dynamiques inégalitaires du développement urbain durable s'en trouvent considérablement renforcées. Les inégalités d'accès se fixent définitivement pour transformer ces quartiers en « réserves de bobos », bien loin des intentions initiales.

Par ailleurs, une telle approche technique va de pair avec des échelles d'intervention trop ponctuelles et des modes d'intervention sur la ville peu compatibles avec un développement urbain réellement durable. D'emblée, le véritable enjeu d'un urbanisme durable est de sortir d'une planification par l'objet pour redéfinir l'équilibre global du tissu urbain, mis à mal par de multiples segmentations. Cela implique d'articuler les échelles d'urbanité, au travers des complémentarités des fonctions et des espaces de pratiques sociales. Il est, en particulier, nécessaire de penser la durabilité urbaine (et les opérations et projets qui y sont associées) sur des aires spatiales suffisamment vastes pour prendre en compte la durabilité importée.

Dit autrement, il ne suffit pas de construire un lotissement de maisons « zéro énergie » pour créer un écoquartier. Quand ils veulent aménager « vert », les élus acceptent des surcoûts allant jusqu'à 20 % pour obtenir des labels « bâtiment basse consommation », qui les exonèrent de réfléchir à la démarche de conception urbaine, pourtant plus stratégique que la performance énergétique des édifices. Ces écoquartiers sont alors des vitrines, qui ne règlent pas la question de la ville durable. Un développement durable réellement opérationnel, suppose d'intégrer les relations de tous ordres qui lient les hommes à leur cadre d'existence.

Enfin, il existe des contradictions entre les préconisations des politiques climatiques locales et celles relevant de la durabilité urbaine. Elles surgissent, par exemple, au détour des interventions sur la densité. La ville durable est souvent associée à une densification du bâti et à une modification des affectations existantes pour optimiser les conditions d'occupation, etc. Les villes durables sont donc supposées être denses. Les politiques locales pour le climat introduisent, quant à elles, des arguments en faveur d'un urbanisme de faible densité : la végétalisation par des arbres à évapotranspiration élevée abaisse localement la température (10 % de surface végétale de ce type abaisse la température du 1 °C dans un rayon de 100 mètres [www.millenaire3.com/uploads/tx_ressm3/agenda_sante_10.pdf]) ; dans les espaces de faible densité il y a plus de mètres carrés de toiture par habitant, l'énergie photovoltaïque généralisée peut alors être une importante source d'énergie locale propre, etc. Naturellement, cette option n'est pas parfaite, car un urbanisme de faible densité peut aussi signifier l'augmentation du trafic routier lorsque la voiture devient la seule solution pour se déplacer d'un endroit à un autre. Selon que la priorité est donnée au climat ou à la durabilité, les arbitrages dans les politiques urbaines concernant la densité peuvent donc être totalement différents. Loin de se superposer, les impératifs du développement durable et ceux des actions locales pour le climat appellent donc des arbitrages délicats.

Il y a, enfin, une différence fondamentale entre l'articulation local-global dans le cadre de développement durable et du climat. Dans le cas du développement durable, cette articulation est à la base même de la mise en œuvre de la durabilité. Pensée – avec plus ou moins de bonheur il est vrai – dès la Sommet de la Terre de Rio en 1992 avec les agendas 21 locaux et mentionné dans *Our Common Future*, elle est une pierre angulaire du développement durable. Ce n'est pas le cas pour le changement climatique où il s'agit plutôt d'une aubaine : une manière de masquer l'échec des politiques globales en prenant appui sur l'action volontariste – et intéressée – lancée unilatéralement par les villes sans lien avec les négociations mondiales. Leur insertion dans un montage local-global s'est faite après-coup, de manière d'autant plus artificielle que l'influence réelle des actions locales sur le climat pour les émissions globales de GES n'est pas avérée.

3. L'urbanisation du monde

Avec l'accélération de l'urbanisation du monde émerge une nouvelle préoccupation dans le champ du développement durable. Plus de la moitié de la population mondiale vit aujourd'hui dans des villes, alors que le taux d'urbanisation était inférieur à 30 % en 1950. Il devrait se situer au-dessus de 60 % en 2030. Si l'on prend aussi en compte les personnes ayant un mode de vie urbain – ce qui inclut les espaces périurbains lointains et diffus – plus de 60 % des habitants de la planète sont, d'ores et déjà, urbains.

La question des régimes d'urbanisation est au cœur des enjeux actuels du développement durable ; tout particulièrement la périurbanisation, réalité complexe et mal définie. Il s'agit de l'avancement de la ville sur les zones agricoles, forestières, plus généralement non urbanisées, pour donner naissance à des espaces construits souvent caractérisés par une faible densité, une monotonie paysagère et la standardisation poussée des différents éléments urbains (voies, maisons, entrepôts, etc.). Il s'agit également d'un processus de différenciation fonctionnelle et sociale de la ville, induisant une mobilité individuelle importante. Elle nécessite la construction d'infrastructures de transport qui créent à leur tour de nouvelles opportunités résidentielles. À cette périurbanisation est associé un nouveau phénomène, l'étalement urbain, qui occasionne une croissance importante de la mobilité [Gillham O., MacLean A., 2002, *The Limitless City: A Primer On The Urban Spraw Debate*, Washington D. C., Island Press]. La périurbanisation se caractérise donc par une forte dispersion de l'habitat dans des espaces auparavant qualifiés de ruraux où les nouveaux venus importent un mode de vie urbain.

On peut identifier trois causes à cette forme d'étalement urbain : le choix résidentiel, le choix de localisation de certaines activités, les partis pris d'aménagement. Le choix résidentiel – sous ses versants à la fois économique et hédoniste – est un facteur clé [Orfeuil J.-P., 2001, *Mobilité, pauvreté, exclusion*, La Tour d'Aigues, Éditions de l'Aube]. La vie est idéalisée dans ces périphéries : plus sûre, plus calme, de meilleures écoles, plus proche de la « nature », une atmosphère de « petite ville ». Dès l'origine, l'expansion urbaine a été associée dans l'imaginaire collectif aux idées de liberté de choix, de nature, d'espace. Ces idées se combinent au désir d'une maison individuelle avec un petit jardin. Là intervient le point de vue économique : le prix du terrain et de la construction diminue généralement en s'éloignant du centre. De plus, les contraintes d'une construction en ville sont plus nombreuses qu'à l'extérieur. Par conséquent, l'accroissement se fait surtout par des maisons individuelles, souvent groupées en lotissements. Le coût du terrain et de la construction est aussi la cause de l'installation d'entreprises, d'entrepôts et de grands centres commerciaux, mais ce ne sont pas les seuls. En périphérie, des activités disposent de plus d'espace pour leurs bâtiments et parkings. De plus, le réseau autoroutier les incite à placer leurs entrepôts près de ses accès à l'extérieur de la ville, tandis que l'influence des politiques d'aménagement est énorme. Cela se joue selon trois modalités : favoriser les lotissements par une politique foncière et fiscale et en soutenant la construction des infrastructures dans la périphérie (routes, bâtiments publics, écoles) parfois sous la pression de groupes d'intérêt (transporteurs, constructeurs, promoteurs) ; édicter des règlements très restrictifs en centre-ville sous prétexte de préservation du tissu urbain (impossibilité de modifier un bâti ancien pour garder l'image de la ville) ; politiques de zonage menées sur l'ensemble de l'agglomération spécifiant des espaces distincts affectés à l'agriculture, à l'habitat, à l'industrie aux services [Slak M.-F., 2000, « Vers une modélisation du mitage, périurbanisation et paysage », *Études foncières*, n° 85, p. 33-38].

Derrière les causes de l'étalement se cache une défaillance du marché immobilier (*market failure*), résultant de trois appréciations défectueuses qui témoignent de son caractère non durable :

– la non prise en compte de la valeur d'existence et de la valeur d'option des espaces non bâtis dans le calcul de productivité des terrains. Parcs, forêts et champs sont des espaces de desserrement à proximité de nouvelles urbanisations qui, autrement, perdent une grande partie de leur attrait ;

– la sous estimation du coût des déplacements pendulaires résultant de la non-prise en compte des pertes de temps dues au trafic (embouteillages, circulation lente, etc.), de l'encombrement des infrastructures, des nuisances et de la pollution induite ;

– la sous-estimation du coût de la construction. En effet, une maison demande un terrain viabilisé (électricité, eau, gaz, évacuation des eaux usées, gestion des déchets) et des équipements de proximité (rues, écoles, espaces verts). Tout cela a un coût, qui n'est en général pas pris en compte, mais supporté par tous les habitants de l'agglomération via l'imposition locale.

Certaines communes rurales aux confins de la ville tentent d'ailleurs de bénéficier d'externalités positives, adoptant une position de passager clandestin (*free rider*) pour proposer une fiscalité locale très avantageuse au regard des communes voisines déjà urbanisées. Elles décuplent ainsi leur population tout en maintenant infrastructures et services à un niveau particulièrement bas. La proximité « automobile » des centres plus anciens assure à leurs habitants de prestations presque égales à celles dont bénéficient ceux d'espaces déjà urbanisés, les charges en moins. Ces communes attirent en général des ménages aisés, à travers des plans directeurs particulièrement avantageux pour la construction d'habitations individuelles. L'éloignement des réseaux de transports publics renforce cette forme de ségrégation économique, car il oblige à une mobilité individuelle accrue qui nécessite des moyens financiers importants.

À terme, la dynamique induite par une telle situation devrait détruire le mythe sur lequel s'appuie ce mouvement d'expansion urbaine [Kahn M. E., 2001, « City Quality-of-Life Dynamics: Measuring The Costs of Growth », *Journal of Real Estate Finance and Economics*, n° 22.2, p. 339-352]. La perspective d'une vie urbaine à la campagne apparaît totalement illusoire, à mesure que les vagues successives de nouveaux arrivants finissent par tout urbaniser, alors que les voitures finissent par devenir aussi nombreuses et gênantes sur les routes et au bord des trottoirs que dans les centres-villes, à mesure que les temps de transport se rallongent et à mesure que les nuisances de voisinage s'accumulent. Pourtant, il n'en est rien. Cela ne fait pas disparaître le mythe : les personnes qui le peuvent se déplacent simplement un peu plus loin vers des environnements plus paisibles et le même phénomène se reproduit. Quitte à laisser l'espace initial devenu « insoutenable » à de moins fortunés.

Un système routier hiérarchisé en *hub and spokes* est caractéristique de ces espaces périurbains [Salingaros N., 2005, *Principles of Urban Structure*, Amsterdam, Techne Press]. Le terme « *hub and spokes* » est utilisé pour désigner la configuration des lignes aériennes où tous les raccordements (les *spokes* – « rayons ») doivent passer par un « moyeu » central (le *hub*). Ainsi, chaque mouvement passe par le niveau hiérarchique le plus élevé avant de revenir au niveau initial. Concrètement, pour les espaces périurbains, cela revient à prendre l'autoroute urbaine pour acheter sa baguette et son journal. Une telle configuration est marquée dans le paysage par des routes s'éloignant progressivement les unes des autres à partir de points nodaux (ronds-points, entrées de ville, échangeurs). Cela favorise les congestions de trafic en ces points de convergences, d'où perte de temps, pollution atmosphérique, bruit, etc.

L'absence de rues et de ruelles rend la marche à pied quasiment impossible, affaiblissant les liens sociaux de proximité et hypothéquant les effets supposés positifs pour la santé de la vie périurbaine « au grand air » [Freeman L., 2001, « The Effects of Sprawl On Neighborhood Social Ties: An Explanatory Analysis », *Journal of the American Planning Association*, n° 67.1, p. 69-77]. Dans la mesure où tout est conçu pour l'automobile, ceux qui ne peuvent ou ne savent pas conduire (enfants, personnes âgées, handicapés) ont d'importantes difficultés dans leur vie quotidienne. Lorsque cela est possible, ceux qui peuvent conduire au sein du foyer passent un temps considérable à transporter ceux qui ne le peuvent pas. Les espaces publics où il est possible de se promener sont rares. Lorsqu'ils sont créés de toutes pièces autour de places centrales de lotissement aux noms ridicules supposés vernaculaires – des « myosotis » aux « vertes prairies » – ou autour d'éléments de mobilier urbain, ils sont conçus sans trame viaire entre eux, sans relation avec leur voisinage immédiat. Posés là tels des OVNIs ils sont bien incapable de catalyser une vie urbaine induisant un affaiblissement de l'identité de lieu chez ceux qui résident là. Ce sont les espaces publics [Viard J., 1994, *La société d'archipel ou les territoires du village global*, La Tour d'Aigues, Éditions de l'Aube] qui prennent la relève des espaces publics comme lieux d'échange et de rencontre : centres commerciaux, multiplexes. Comme ceux-ci sont fort éloignés des lieux d'habitation, ils ne favorisent guère les relations de voisinage. Il n'y a pas d'urbanité dans ces espaces périurbains que l'on peine à nommer territoires. Lorsque, comme dans le cas des *gated communities* américaines, il existe des espaces partagés permettant vie sociale entre voisins celle-ci, par la force des choses, se limite à ceux sont proches socialement, économiquement ou culturellement.

Ces extensions urbaines rampantes sont donc non durables à double titre. Le développement de lotissements, les phénomènes de ségrégations urbaines, tout concourt à une dégradation de la qualité de vie avec des transports pendulaires de plus en plus longs, des problèmes d'accessibilité, des coûts de gestion de plus en plus lourds pour les collectivités concernées. Le coût de raccordement aux réseaux des services publics est élevé au regard de l'étendue couverte et de la surface à couvrir. Le coût énergétique est également important avec une mobilité assurée quasi exclusivement par l'automobile et un besoin unitaire de chauffage bien plus important pour des maisons individuelles dispersées que pour des immeubles collectifs.

Mais il faut bien admettre toutefois que cette périurbanisation présente quelques avantages. Individuellement elle permet un espace individuel plus étendu. Collectivement, elle évite la concentration des nuisances et des pollutions dues à la surproximité propre aux centres-villes. Elle dédensifie aussi des centres parfois au bord de la congestion : il est géographiquement impossible que tout le monde vive en centre-ville. De plus avec l'incertitude croissante sur la pérennité de l'emploi, la localisation est moins fondée sur la proximité du travail. Dès lors, un habitat dispersé peut offrir une grande diversité d'opportunités à un coût abordable tout en assurant la qualité de vie souhaitée. De toute manière, même si les inconvénients sont plus importants que les avantages le mythe demeure, idéalisant la vie aux portes rurales de la ville. Il existe une limite à la possibilité d'imposer le choix résidentiel lorsque celui-ci est en contradiction les motivations profondes d'une population. En effet, la ville dense va à l'encontre des préférences du marché et des désirs des personnes pour la maison individuelles, dans la plupart des cas, ce qui hypothèquerait sa réussite à long-terme [Cho S. A., Hernandez A., Ochoa J., Lira-Olivares J., Breheny M., 1997, « Urban Compaction: Feasible and Acceptable? », *Cities*, vol. 14, n° 4, p. 209-217]. De plus, les fortes densités urbaines engendrent des nuisances et des contraintes environnementales accrues.

Dès lors, la question, dans une perspective de durabilité, est moins de s'opposer ou de défendre ce type de croissance urbaine que de l'accompagner, l'infléchir, l'orienter. Sachant que, quels que soient ses défauts, les dynamiques de transformation qui se jouent dans la périurbanisation sont étonnement stables, tant dans les mécanismes que dans la chronologie des événements. Notons aussi que pendant longtemps, dans les villages, des communautés peu nombreuses vivant dans une urbanisation de faible densité ont eu une vie sociale et culturelle très dynamique. Il s'agit de minimiser les incidences indésirables d'un urbanisme de faible densité non coordonné. Notre propos s'appuiera sur quelques idées clés : hétérogénéité des formes urbaines ; mixité fonctionnelle et densification différentielle ; denses trames viaires de proximité susceptibles d'être parcourues à pied [Neal P., 2003, *Urban Villages and the Making of Communities*, New York, Spon Press].

Si, avec Salingaros [Salingaros N., 2000, « Complexity and Urban Coherence », *Journal of Urban Design*, n° 5, p. 291-316], nous considérons la ville comme un système complexe alors cette complexité est orientée par des codes internes (réglementations ; ensemble de représentations dont sont investis les objets de cet environnement particulier) et par des mécanismes de régulation. Comme dans le cas d'un organisme vivant – autre système complexe – où des pathologies de prolifération cellulaire, comme le cancer, se développent lorsque les régulations sont en panne, l'étalement urbain résulte de la disparition des repères de croissance et des régulations. Sous toute réserve et pour tisser la métaphore, les océans de lotissements résidentiels ou de zones d'activité ne sont-ils pas fréquemment qualifiés de « cancers urbains ». Dès lors, notre objet est de mettre en place des mécanismes de régulation, voire de réparation des espaces périurbains actuels et à venir et non des dispositifs d'empêchements d'une expansion urbaine inévitable.

La stabilité d'un système dépend de sa résilience, c'est-à-dire de sa capacité à absorber chaque petite turbulence pour renforcer sa cohésion. Cela suppose une myriade de connexions entre les moindres éléments du système en cause. Tel était le cas des systèmes urbains historiques formant le tissu central des villes. Par contre, dans les espaces périurbains, tout semble fait pour limiter le plus possible les relations : zones de bureau et d'habitation distinctes, accessibles uniquement en voiture ; bâtiments isolés dotés de peu d'entrées faciles à contrôler (portail des maisons, entrées de centres commerciaux, complexes résidentiels gardés). Aucune flânerie n'est possible, aucun piéton ne hante les rues, personne ne s'assied sur les murets, aucun commerce dans ces enclaves résidentielles. Une des premières actions à mener consiste donc à créer de la confusion dans ce bel arrangement géométrique : multitude de chemins piétonniers et mixtes (piétons, voitures) ; bâtiments se touchant, se « mêlant », abritant des fonctions diverses. Pourquoi ne pas laisser les habitants produire des chemins de traverse puis les officialiser plutôt que de contraindre un tracé aussi paysager qu'incommode. Pourquoi chasser les vendeurs ambulants de nourriture plutôt que d'utiliser cette information pour créer des kiosques pérennes et renforcer leur attractivité ? Mais la réussite d'une telle politique n'est pas évidente car ses effets pervers sont nombreux. Les activités artisanales et commerciales peuvent engendrer des nuisances peu compatibles avec l'habitation. Ce n'est pas parce que des emplois sont créés au voisinage de lotissements que ceux qui y habitent vont y travailler automatiquement. En ce qui concerne la densité, l'objectif est de faire émerger un territoire économe de son sol, mais aussi montrant une hétérogénéité spatiale et paysagère. Or, cela va de pair avec une qualité de vie différente selon les endroits. Le risque existe alors de voir apparaître de nouveaux espaces de relégation sociale – relégation toute relative certes, mais la tendance peut devenir plus nette avec le temps – en jouxtant d'autres plus aisées.

Cela rappelle que la qualité de vie, réelle ou fantasmée, est une des raisons principales du choix résidentiel périurbain. Accompagner la périurbanisation en freinant l'étalement périurbain consiste donc aussi à éviter la dégradation progressive de l'urbanité de ces espaces, à défaut de quoi les personnes se déplaceront plus loin. Cela signifie, entre autres, créer ou maintenir – s'ils existaient – des espaces publics dont la mission sera de rassembler et non de séparer. Cela suppose aussi que ces espaces soient à l'échelle du piéton, du passant. Longtemps, seule la dimension du trafic a été retenue pour la rue : rappelons que le concept de rue résidentielle n'est entré qu'en 1984 dans le droit routier. Cela pose la question du transport. Il convient de remettre en cause le dogme d'une accessibilité généralisée. L'objectif affiché de ces politiques d'accessibilité – le décongestionnement des accès aux centres – est un leurre. En effet, si aucune mesure d'accompagnement n'est proposée, l'accessibilité généralisée augmente ce problème au lieu de la résoudre : le volume de circulation est le résultat d'un équilibre entre la demande réalisée par des usagers estimant les conditions acceptables et la demande latente représentant les déplacements non réalisés pour des questions de coût ou de congestion jugée trop grande. Il importe, à l'inverse, de développer infrastructures viaires et transports collectifs favorisant l'accessibilité à l'intérieur même des périphéries et entre les points de fixation plus densément bâtis où peuvent être concentrés les services (administrations publiques, établissements de formation, services de santé, etc.).

Dans une telle perspective, l'accompagnement de la périurbanisation tient plus de l'art de l'accoucheur que de celui de Pygmalion. Il importe de favoriser sa connectivité, de préserver sa rugosité (marchands ambulants, terrains vagues, routes mixtes), d'orienter sa forme (par densité différentielle), de multiplier des ébauches de cheminements transformables quitte à fixer morphologiquement après-coup ceux dont les habitants se sont emparés.

Conclusion :
pour un développement durable
réellement opérationnel

Le développement durable ne peut se décréter, sauf à produire des effets inverses de ceux initialement escomptés. Sa faisabilité est une question aussi importante que ses objectifs. Cela suppose, tout d'abord la compréhension des relations de tous ordres qui commandent la dynamique de l'espace humanisé, vécu et utilisé. C'est ensuite la compréhension de ce qui lie les sociétés à leur cadre d'existence. Dans les deux cas, il est autant question d'échecs que de réussites : à l'illusion des solutions universelles, elles répondent en pointant la spécificité de chaque contexte.

Le développement durable intervient dans les différents modes de régulation et de mobilisation collective. Cela implique qu'il s'appuie sur des communautés locales puissantes, capables de s'emparer de leur environnement immédiat. Il s'agit d'inscrire les politiques de développement durable dans des territoires d'action pertinents et clairs. Ce qui conduit à examiner comment le réel est perçu, exprimé puis inséré dans des stratégies collectives. Partant d'une telle perspective, le développement durable trouve sa traduction concrète dans des solutions négociées et contractualisées, qui supposent un renouveau de l'action politique dans laquelle représentations collectives, peurs, rumeurs, rapports de force et égoïsmes jouent un rôle fondamental.

Cela pose la question du devenir de politiques de développement durable visant à corriger un mode de développement souvent confondu avec un mode de croissance. Si l'on porte attention aux signaux que nous livrent les différentes crises de la période actuelle, le vrai problème n'est ni celui de la production, ni celui des écosystèmes. Il est celui de la place de chacun dans une société complexe.

Stratégies d'acteurs et développement durable

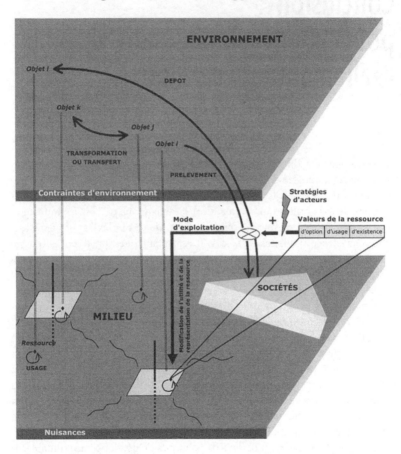

Les crises, au sens positif du terme, sont synonymes de changement. Étymologiquement le mot « crise » dérive du grec *krisis*, qui signifie « décision ». En Chinois, il est composé de deux idéogrammes signifiant simultanément « danger » et « opportunité de changement ». Une crise est donc le moment précis où un certain état des choses bascule en révélant ses failles, mais aussi celui où un nouvel état des choses émerge. C'est le moment des bifurcations radicales. Une question s'impose donc, qui n'a bien évidemment pas encore de réponse mais qui mérite toute notre attention : en quoi le développement durable est-il en train de muter ?

Voilà la principale raison pour laquelle le développement durable fait l'objet de nombreux débats passionnés tout en maintenant son corpus théorique peu stabilisé et truffé de contradictions apparentes. Le fait que la notion, par sa diffusion très large, ait acquis une autonomie dans de nombreuses sphères sociales n'est pas non plus étranger à cette situation. Ayant investi les discours politiques, administratifs, militants ou entrepreneuriaux, les recours au développement durable par divers acteurs, le développement durable s'est émancipé de son champ initial.

Si le développement durable est difficile à traduire, à organiser, à évaluer, il constitue néanmoins un cadre de discussion politique, souvent invoqué à l'appui de l'action publique. Opérant une percée incontestable dans les orientations politiques internationales, nationales et locales, il a des effets directs – parfois positifs, parfois pervers – sur les politiques d'aménagement en particulier. Dans une telle perspective, le développement durable devient un horizon programmatique qui met en tension la préoccupation d'un développement équitable des sociétés et celle de la transmission aux générations futures d'un environnement riche et diversifié. Il est un champ variable de réflexions et de pratiques plus que la réalité univoque et rigoureuse que certains aimeraient y voir.

Ouvrages
et sites de référence

Seuls sont signalés ici des ouvrages fondamentaux permettant de couvrir le domaine du développement durable. Les références bibliographiques sont, quant à elles, insérées directement dans le texte entre parenthèses.

Les ouvrages collectifs sont reconnaissables par la mention (ed.), visible à droite du nom de la personne ayant supervisé la réalisation de l'ouvrage. Pour ne pas accroître inutilement le nombre de références, les articles se trouvant dans les ouvrages collectifs déjà cités ne sont évidemment pas mentionnés à part quel que soit leur intérêt.

Ouvrages et revues

BAKER S. (ed.), 1997, *The Politics of Sustainable Development: Theory, Policy and Practice within the European Union*, Londres, Routledge.

BECK U., 2003, *La Société du risque. Sur la voie d'une autre modernité*, Paris, Flammarion, coll. « Champs ».

BRUNDTLAND G. H., 1989, *Notre Avenir à Tous. Rapport de la Commission mondiale sur l'Environnement et le Développement*, Paris, Les Éditions du Fleuve (trad. française de *Our Common Future*, 1987).

BRUNEL S., 2004, *Le développement durable*, Paris, PUF, coll. « Que sais-je ? ».

DA CUNHA A. (ed.), 2005, *Enjeux du développement urbain durable : transformation urbaine, gestion des ressources et gouvernance*, Lausanne, Presses polytechniques universitaires romandes.

DALY H., 1998, « Reconciling Internal and External Policies for Sustainable Development », *in* DRAGUN A. K., JACOBSON K. M. (ed.), *Sustainability and Global Economic Policy*, Cheltenham, Elgar.

DROEGE P. (ed.), 2008, *Urban Energy Transition*, Paris, Elsevier.

ELLIOT J., 2006, *An Introduction to Sustainable Development*, Londres, Routledge.

HÉRAN F., ZUINDEAU B. (ed.), 2001, « Développement durable et territoires », *Cahiers lillois d'économie et de sociologie*, n° 37.

HÉRITIER S. (ed.), 2007, « Le développement durable ; une idéologie ? », *Revue des Deux Mondes*, 10-11, octobre-novembre, p. 128-139.

HUGONIE G. (ed.), 2007, Numéro spécial « Développement durable », *L'Information géographique*, n° 3.

MANCEBO F., 2010, *Le développement durable* (deuxième édition), Paris, Armand Colin, coll. « U ».

MANCEBO F., 2007, « Accompagner les turbulences : une périurbanisation durable », numéro spécial *Individualisme et production de l'urbain, priorité au cheminement des habitants, Annales de la Recherche urbaine*, n° 102, p. 51-57.

MANCEBO F., 2007, « Le développement durable en questions », *Cybergéo*, n° 404, rubrique « épistémologie, histoire, didactique » (http://193.55.107.45/articles/353res.htm).

PEARCE D., MARKANDYA A., BARBIER E. B., 1989, *Blueprint for a Green Economy*, Londres, Earthscan Publication.

SACQUET A.-M., 2002, *Atlas du développement durable*, Paris, Autrement.

SELMAN P. H., 1996, *Local Sustainability: Managing and Planning Ecologically Sound Places*, New York, St Martin's Press.

SOLOW R. M., 1993, « Sustainability: An Economist's Perspective », *Economics of the Environment*, New York, Norton and Company.

WHEELER S., 2004, *The Sustainable Urban Development Reader*, *Urban Reader Series*, Londres, Routledge.

Sites web

www.agora21.org
www.association4d.org
www.cerdd.org
www.ademe.fr
www.datar.gouv.fr

www.ecologie.gouv.fr
www.planbleu.org
www.un.org/esa/earthsummit
www.un.org/french/ga/istanbul5/declaration.htm
www.un.org/french/millenaire
www.unchs.org/programmes/sustainablecities
www.urbanisme.equipement.gouv.fr

Glossaire

Agglomération : Une agglomération est un espace où les constructions sont rapprochées de moins de 200 mètres.

Bassin versant : Superficie de terre drainée par des eaux souterraines ou de surface vers un autre cours d'eau ou vers la mer.

Biodiversité : Variabilité des organismes vivants de toute origine, comprenant la diversité au sein des espèces et entre espèces, ainsi que celle des écosystèmes.

Biomasse : Poids sec de toute la matière organique, vivante ou morte, au-dessus ou au-dessous d'une partie de la surface terrestre.

Biotechnologie : Application technologique qui utilise des systèmes biologiques, des organismes vivants ou des dérivés de ceux-ci, pour réaliser ou modifier des produits ou des procédés.

Cogénération : Ensemble de techniques de production simultanée d'énergie thermique (sous forme de gaz chauds ou de vapeur, utilisés pour le chauffage) et d'énergie mécanique. La valorisation simultanée de la chaleur et de l'énergie mécanique peut permettre d'atteindre des rendements énergétiques très élevés, de l'ordre de 80 %, et même jusqu'à 90 %, largement supérieurs à ceux d'une production séparée de chaleur et d'électricité.

Commensal : Animal vivant au voisinage d'un autre – ici l'être humain – de façon plus ou moins constante et étroite, et profitant généralement d'une partie des ressources de ce dernier (nourriture, habitat, etc.) sans que s'établissent entre eux des rapports organiques.

Complexité : Il y a complexité quand les éléments différents constituant un ensemble sont inséparables et qu'il y a interdépendance entre l'objet de connaissance et son contexte, les parties entre elles.

CPER : Le Contrat de plan État-région est une convention portant sur une période de 7 ans – actuellement 2000-2006 – et prévoyant la réalisation de projets financés en commun par l'État et le Conseil régional concerné.

Désertification : Dégradation des terres dans les zones arides, semi-arides et subhumides sèches par suite de divers facteurs, parmi lesquels les variations climatiques et les activités humaines.

Écogenèse : Le territoire est une construction sociale et historique élaborée à partir d'une réalité matérielle. Il est donc un système de relation fondée sur des signes, des symboles et des représentations. On appelle écogenèse le processus par lequel des groupes humains produisent du territoire en donnant du sens à leur environnement. L'écogenèse pose ainsi la question du dialogue entre l'homme et le réel : manière de relier les trois « mondes » mis en évidence par Popper et Eccles ; le monde matériel tangible, le monde subjectif des émotions et le monde rationnel formalisé.

Écosystème : Un écosystème est un groupe de communautés biologiques (formant une biocœnose) en relation entre elles et dépendantes d'un milieu physique (le biotope). L'écosystème est une unité fonctionnelle de base en écologie qui évolue en permanence au travers de flux d'énergie, d'information et de matière.

Écotaxe : Taxes frappant un produit mis à la consommation, en raison de ses nuisances écologiques qu'il est réputé générer. L'écotaxe est un instrument fiscal au service de l'environnement, accroissant le prix des produits pour lesquels des substituts économiquement acceptables existent sur le marché.

Effet de serre : Réchauffement de l'atmosphère et de la surface de la Terre, dû au fait que certains gaz absorbent le rayonnement infrarouge thermique dégagé par la Terre et le renvoient en partie vers la surface de celle-ci. Il s'agit d'un phénomène naturel renforcé par les émissions humaines de dioxyde de carbone et d'autres gaz, dits à effet de serre.

Enquête publique : Enquête qui a pour objet d'informer le public et de recueillir ses suggestions et contre-propositions, postérieurement à une étude d'impact ou pour l'élaboration de divers documents d'urbanisme.

EPCI : Terme générique des Établissements publics de coopération intercommunale. L'appartenance d'une même commune à plusieurs EPCI – syndicat scolaire, syndicat des eaux, SIVU déchetterie, syndicat de collecte des ordures ménagères – est assez fréquente. Cette situation est appelée à changer avec la Loi de 1999 sur l'intercommunalité.

Équivalent-Habitant : Estimation de la pollution quotidienne que génère un individu. Censé utiliser 200 à 300 l d'eau par jour, il rejetterait dans ce même laps de temps, 57 g de matières oxydables, 90 g de matières en suspension – MES –, 15 g de matières azotées – MA –, 4 g de matières phosphorées – MP – et une concentration de germes de 1 à 10 md pour 100 ml. La directive européenne mesure l'EH en DBO5.

Étude d'impact : Imposée en France pour l'élaboration de demandes d'autorisation à exploiter et plus récemment pour les documents d'urbanisme, elle permet pour chacun des grands types de pollution (eau, air, bruit, déchets) de connaître la situation avant la mise en service de l'installation, ses caractéristiques et ses effets directs sur l'environnement, les mesures prises pour en atténuer les effets et la situation prévisible après mise en service.

Haute qualité environnementale (HQE) : La qualité environnementale d'un bâtiment correspond aux caractéristiques du bâtiment, de ses équipements et du reste de la parcelle qui lui confèrent l'aptitude à satisfaire les besoins de maîtrise des impacts sur l'environnement extérieur, son aptitude à préserver les ressources naturelles et à satisfaire aux exigences de confort, de santé et de qualité de vie des occupants.

Installation classée (ICPE) : Une installation classée (art. L 511-1 du Code de l'environnement) pour la protection de l'environnement est une installation fixe dont l'exploitation présente des risques pour l'environnement : usines, élevages, entrepôts, carrières, etc. Pour savoir si une installation est soumise à cette réglementation, il existe une nomenclature : liste de substances et d'activités auxquelles sont affectés des seuils (quantité de produits, surface de l'atelier, puissance des machines, nombre d'animaux, etc.). En cas du dépassement de ces seuils, il existe deux régimes : le régime de la déclaration et le régime de l'autorisation.

Métropolisation : Concentration croissante de la population d'un pays ou d'une région dans de grandes agglomérations.

Mitage : Dissémination spontanée ou insuffisamment contrôlée de constructions implantées dans des zones rurales ou en périphérie des agglomérations, entraînant une détérioration du paysage et des risques de pollution du milieu.

Morphologie urbaine : Formes et structures des espaces bâtis et non bâtis d'une ville.

PDD : Les Plans de développement durable, sont des procédures mises en place entre 1998 et 2000 pour tenter d'élaborer des systèmes de production plus respectueux de l'environnement. En fait, cette démarche vise surtout à favoriser un travail d'ingénierie de projet et de diagnostic territorial.

PDU : Le Plan de déplacement urbain définit l'organisation des transports, la circulation et le stationnement dans le périmètre des transports urbains. Il doit définir une utilisation rationnelle des voitures, en insérant la circulation des piétons et des transports en commun dans un souci d'améliorer la qualité de l'air. Le PDU n'est pas un document d'urbanisme mais il a une force juridique importante car il est opposable aux documents d'urbanisme. Il ne peut être qu'institué dans les villes de plus de 100 000 habitants.

PLU : Plan local d'urbanisme. Il remplace le POS (Plan d'occupation des sols) en application des modifications au Code de l'urbanisme apportés par la loi SRU du 13 décembre 2000, dite loi « SRU » (Solidarité et renouvellement urbains).

PPR : Plan de prévention des risques, prévu par la Loi Barnier du 2 février 1995. Ce document unique couvre l'ensemble des risques naturels prévisibles : inondations, mouvements de terrain, séismes, feux de forêt, avalanches, tempêtes cyclones. Le décret du 5 octobre 1995 en précise le contenu et l'élaboration. Le PPR est annexé au PLU et s'impose donc aux documents d'urbanisme, dont les SCOT. Il conditionne la délivrance des permis de construire.

Quota d'émissions : Proportion ou part des émissions globales acceptables imposée à un pays ou un groupe de pays dans le cadre d'un maximum d'émissions totales et d'allocations de ressources obligatoires.

SCOT : Schéma de cohérence territoriale. Il remplace le Schéma Directeur en application des modifications au Code de l'urbanisme apportées par la loi SRU du 13 décembre 2000, dite loi « SRU » (Solidarité et renouvellement urbains).

Société civile : Individus et groupes, organisés ou non, qui agissent de manière concertée dans les domaines social, politique et économique.

SSC : Neuf Schémas de services collectifs ont été institués par la LOADDT pour anticiper l'avenir des territoires : culturels, sportifs, enseignement supérieur et recherche, santé, transports, information et la communication, énergie, gestion des ressources naturelles et prévention des risques naturels, qualité et accessibilité en matière de loisirs et de tourisme. Les orientations prises par les SSC nationaux se déclinent tout particulièrement au niveau des communes et de leurs groupements, ainsi qu'au niveau régional et interrégional.

Taux de dépollution : Quantité de matières organiques éliminées rapportée à la pollution brute produite en moyenne, ou produit du taux de collecte par le rendement de l'épuration.

Utilitarisme : Doctrine faisant de la recherche de l'utilité personnelle le critère de l'action morale. Ici, la recherche du bonheur individuel n'est pas contradictoire avec le souci du bonheur collectif, car les deux sont inséparables, c'est l'expérience qui enseigne ce qui est utile, donc bon.

Composé par Nord Compo Multimédia
7, rue de Fives, 59650 Villeneuve-d'Ascq

ARMAND COLIN s'engage
pour l'environnement en réduisant
l'empreinte carbone de ses livres.
Celle de cet exemplaire est de :
376 g éq. CO_2
Rendez-vous sur
www.armand-colin-durable.fr

PAPIER À BASE DE
FIBRES CERTIFIÉES

Armand Colin Éditeur
21, rue du Montparnasse, 75006 Paris
11020629 – (I) – (1,2) – OSB 80° – NOC – BTT
Dépôt légal : juillet 2013

Achevé d'imprimer par la Nouvelle Imprimerie Laballery
58500 Clamecy
N° d'impression : 307045